Introduction

Peut-on raisonnablement, en cent vingt-huit pages, donner sur le tiers monde une information nouvelle ? Ne risque-t-on pas, en effet, d'être en deçà de la culture générale de l'« honnête homme » des années quatre-vingt-dix ? A force de rogner sur les raisonnements, les exemples, les références — pour tenir le pari des cent vingt-huit pages — peut-il rester autre chose qu'un squelette là où il faudrait présenter une réalité riche, contrastée et infiniment variée ? Le risque est grand de valoriser l'uniformité aux dépens de la diversité, la règle aux dépens de l'exception, et, peut-être, la banalité aux dépens de l'originalité.

Le pari est, bien sûr, d'arriver à présenter une trame qui donne cohérence à l'immense volume d'information qui existe sur les pays du tiers monde et qui chaque jour apporte de nouvelles questions, une trame que chacun pourra enrichir de sa culture, de ses lectures, de son expérience ou de ses voyages. Le parti pris est celui de l'actualité des faits et de l'actualisation des interprétations. Pour permettre de situer le débat sur les principales questions que les pays du tiers monde affrontent et sur les réponses qu'ils essayent de leur donner, il a fallu chercher des équilibres entre l'informatif et l'explicatif, entre le sectoriel et le global, et sans doute entre l'objectif et le personnel. Le plan, le contenu, l'écriture résultent de ces dosages. Plutôt que la volonté de dessiner une grande fresque que d'autres seraient mieux à même d'élaborer, ou de livrer une thèse personnelle, on a cherché pour chaque grande question à donner des « repères ».

Sur le plan formel, on a pris le parti de supprimer les notes, les citations, les références pour alléger le texte. Une bibliographie finale rassemble les principaux ouvrages, ceux qui ont influencé la rédaction de ce livre. Quant aux statistiques citées, nous avons veillé à ne nous référer qu'à trois séries de documents : les *Rapports sur le développement dans le monde* (1984 à 1992) édités par la Banque mondiale, les *États du monde* (1982 à 1993) édités par les éditions La Découverte, et les *Rapport annuel mondial sur le système économique et les stratégies* (RAMSES 1983 à 1991) édités par l'Institut français des relations internationales. Enfin, sans tomber dans le cérémonial des remerciements, qu'il me soit permis de signaler qu'Élisabeth Paquot a bien voulu accepter de travailler sur ce texte pour tenter de le rendre digeste.

Les deux premiers chapitres définissent et expliquent ce qu'est le tiers monde en lui-même et dans sa relation au monde. Ils sont historiques. Les chapitres III à VI présentent les principaux défis auxquels se trouvent confrontés les pays en voie de développement : défi démographique, défi alimentaire, défi industriel, défi financier. Le chapitre VII présente les évolutions culturelles et politiques principales perceptibles aujourd'hui, et les acteurs nouveaux qui les rendent possibles. Enfin, les chapitres VIII et IX, plus prospectifs, recensent les possibles politiques économiques, et les éventuelles perspectives géopolitiques qui s'offrent aujourd'hui à un tiers monde en plein désarroi.

Note. — Après son lancement par A. Sauvy en 1952 et son triomphe dans les années soixante, le mot « tiers monde », et ce qu'il représente, est aujourd'hui l'objet d'une profonde interrogation. T. de Montbrial, dans le *Ramsès 89*, le trouve « désuet ». Il est vrai que le mot n'a jamais fait l'unanimité. Le livre de P. Bruckner, *Les Sanglots de l'homme blanc*, fut un signal, mais l'attaque en règle contre le « tiers-mondisme » démarra en France en 1983 sous l'impulsion d'un groupe d'universitaires et d'associations spécialisées dans l'aide d'urgence et avec la bienveillance des partis politiques libéraux. La plupart des analystes préfèrent aujourd'hui l'écrire au pluriel pour manifester la diversification de ses sous-ensembles, d'autres continuent à parler du tiers monde pour marquer la frontière qui sépare cet ensemble du premier monde. Mais bien que sa réalité demeure, c'est plutôt la défaillance du deuxième monde, volatilisé, qui disqualifie le mot. Sans doute faudra-t-il trouver un nouveau mot, ou utiliser des mots synonymes, le « Sud » par exemple. C'est affaire de convention. Pour l'heure, et jusqu'à « nouvel ordre », on gardera le mot « tiers monde » et on s'intéressera à l'évolution des pays et des réalités qu'il recouvre.

Henri Rouillé d'Orfeuil

LE TIERS MONDE

nouvelle édition

Éditions La Découverte
9 *bis*, rue Abel-Hovelacque
75013 Paris
1993

© Éditions La Découverte, Paris, 1987-1989, 1991, 1993.
ISBN 2-7071-1671-8

I / Un tiers monde,
des sous-développements

Famine, dette, émeutes populaires : les années quatre-vingt auront vu le tiers monde projcté sous les feux de l'actualité. Au-delà des coups de projecteurs médiatiques, il y a les réalités et, pour les percevoir à distance, il y a les chiffres : le tiers monde regroupe 75 % de la population mondiale, et sur 900 millions d'enfants de moins de quinze ans que compte la planète en 1985, 90 % vivent dans le tiers monde. Le tiers dcs 3,8 milliards d'habitants des pays en développement est sous ou mal alimenté, un enfant sur six y meurt avant d'avoir atteint l'âge de cinq ans. 800 millions d'adultes y sont analphabètes... mais en 1985, le tiers monde n'a produit que le sixième des 6 000 milliards de dollars de la production mondiale.

Pourtant, le tiers monde est autre chose que le réceptacle de toutes les misères du monde. Il est l'héritier des expériences historiques des sociétés non européennes. Il est aussi le possible dépositaire d'un projet politique de nouvel ordre à venir.

1. Un tiers monde ; héritage et projet

Pour beaucoup d'observateurs, seul le rituel des grandes messes du non-alignement subsiste. Le tiers monde, lui, a éclaté en mille morceaux. De fait, le tiers monde des années quatre-vingt-dix, en tant que force géopolitique, est au creux de la vague. Le statut colonial face auquel il s'est affirmé dans les années soixante s'évanouit alors que le projet politique qui pourrait le faire renaître ne s'affirme toujours pas.

Le tiers monde, un produit de l'histoire

Le monde de l'ère précoloniale s'est d'abord construit hors du regard européen ; il se peuple d'une infinité de sociétés ; chacune exploite à sa manière son milieu naturel. Le commerce terrestre ou maritime intègre les économies. Ainsi se constituent des pôles de civilisation et de puissance en Asie, en Amérique précolombienne, en Afrique. A partir du XVIe siècle, le pôle européen, égal des autres jusqu'à cette époque, prend le dessus et commence à soumettre ses voisins à sa loi. Il pose des drains dans le monde entier ; en Asie dès le XVe, en Amérique au XVIe, en Afrique et dans le Pacifique au XIXe siècle. Lorsque les produits existent, comme en Asie, le commerce suffit. Mais parfois, comme en Amérique, il faut d'abord produire. Pour ce faire, les colons s'implantent et utilisent de la main-d'œuvre servile. Les Indiens ne suffisent pas à la tâche et s'y épuisent ; commence alors la traite des Noirs, qui emporte quelques dizaines de millions d'hommes et de femmes.

L'enjeu est de taille. Le commerce au long cours permet à la richesse européenne de s'accumuler. Les puissances de l'époque, Portugal et Espagne d'abord, Hollande, France, Angleterre ensuite, conquièrent le monde. Elles ont vite besoin de borner l'espace colonial pour éviter de s'entre-déchirer. Chacune chez elle, elles ont bien du mal à faire régner outre-mer leur ordre. Les empires se constituent et perdurent par la force. En Amérique, les colons s'émancipent eux-mêmes de leur métropole dès la fin du XVIIIe et le début du XIXe siècle. Ailleurs, et tout au long de la colonisation, les résistances locales — celles des anciens pouvoirs ou celles plus modernes des jeunes élites — restent vives.

Les luttes anticoloniales modernes s'organisent au XXe siècle. Les empires ne survivent pas longtemps à la Seconde Guerre mondiale : les métropoles ébranlées ne sont plus à même de faire régner l'ordre colonial, et ce d'autant plus que les puissances maintenant dominantes — États-Unis et Union soviétique — n'y sont guère favorables. Le tiers monde se manifeste géopolitiquement à la conférence de Bandoeng, en 1955, autour des grands libérateurs, les Nehru, Nasser et Sukarno. L'Inde, l'Indonésie, l'Égypte, le Vietnam montrent la voie de l'indépendance. Les Afriques française et anglaise suivent. L'Algérie et l'Afrique portugaise, enfin, arracheront, armes à la main, leur indépendance. Le tiers monde naît de cette lutte commune.

Les années quatre-vingt-dix ouvrent un ultime chapitre de la décolonisation. L'année 1990 aura vu s'engager l'émancipation de l'Afrique australe : d'un côté, indépendance de la Namibie après accords entre la SWAPO et les colons ; de l'autre, mouvement en Afrique du Sud, concrétisé par la libération de Nelson Mandela et l'engagement de négociations entre le gouvernement de M. de Klerk et les organisations noires.

Enfin, le 8 décembre 1991, disparaît l'URSS à laquelle se substitue l'éphémère Communauté des États indépendants, la CEI. Quinze nouveaux pays émergent de l'éclatement de l'empire soviétique. C'est le deuxième monde qui disparaît, certains morceaux rejoindront l'aire européenne et le premier monde, d'autres l'Asie et le tiers monde. Cette frontière est encore loin d'être stabilisée. Déjà fin 1991, cinq pays d'Asie centrale étaient admis par le Comité d'aide au développement de l'OCDE sur la liste des PVD (Kazakhstan, Turkménistan, Ouzbékistan, Tadjikistan et Kirghizstan).

Ce grand mouvement d'émancipation touche à sa fin. Pourtant, la question coloniale reste posée. Dans les Caraïbes, dans le Pacifique ou dans l'océan Indien, des « poussières » de l'empire français subsistent. A Mayotte, les Mahorés refusent de rejoindre l'archipel des Comores. Hong Kong, place forte de la finance internationale et porte étroite de l'immense Empire du Milieu, doit changer de statut en 1997 ; Anglais et Chinois négocient. Enfin, à cette liste des questions coloniales non résolues, il faudrait joindre les « nationalités » ou les « minorités » qui aspirent à l'indépendance, ou à la réunification : Sahara occidental, Arménie,

LES GRANDES DATES DE L'HISTOIRE RÉCENTE
DU TIERS MONDE

1927 Premier Congrès des peuples opprimés à Bruxelles, avec la participation de Nehru (Inde), Mohamed Halta (Indonésie), Hô Chi Minh (Vietnam), L.S Senghor (Sénégal).

1945 4-11 février - Conférence de Yalta entre Roosevelt, Churchill, Staline.
24 octobre - Création de l'Organisation des Nations unies (ONU), à San Francisco.

1946 20 décembre - Soulèvement du Tonkin, début de la 1re guerre d'Indochine (1946-1954).

1947 15 août - Indépendance de l'Inde.

1948 14 mai - Création de l'État d'Israël — Première guerre israélo-arabe.

1949 10 octobre - Victoire de la révolution chinoise.

1950 25 juin - Début de la guerre de Corée (2,5 millions de morts quand est signé l'armistice du 27 juillet 1953).

1952 23 juillet - Révolution des « officiers libres » dirigés par Nasser en Égypte.

1953 16-19 août - Iran : coup d'État contre le gouvernement Mossadegh (qui avait nationalisé le pétrole en 1951).

1954 7 mai - Défaite française de Diên Biên Phu (Vietnam) et conférence de Genève, indépendance du Laos, du Cambodge et des Vietnam.
1er novembre - Début de la lutte armée en Algérie.

1955 18-24 avril - Conférence afro-asiatique de Bandoeng — Affirmation du non-alignement en présence de 29 États.

1956 mars - Indépendance du Maroc et de la Tunisie.
26 juillet - Attaque de la Moncada : début de la lutte armée à Cuba.
juillet-novembre - Nationalisation du canal de Suez par Nasser, intervention armée franco-anglo-israélienne.

1957 6 mars - Indépendance du Ghana de Nkrumah.

1959 8 janvier - Fidel Castro entre à La Havane.

1960 17 États africains accèdent à l'indépendance.
30 juin - Indépendance du Congo ex-belge. Le 14 septembre, coup d'État de Mobutu, puis assassinat de Lumumba et guerre civile.

1961 21 janvier - Création à Caracas (Venezuela) de l'Organisation des pays exportateurs de pétrole (OPEP).
31 juillet - Création de l'Association du Sud-Est asiati-

que (ASEA) : Philippines, Malaisie, Thaïlande ; devenue ASEAN avec l'adhésion de Singapour et de l'Indonésie en 1967.

17 août - Lancement de l'« Alliance pour le progrès » en Amérique latine par J.F. Kennedy.

1-6 septembre - Premier sommet des non-alignés à Belgrade : 25 États, 3 observateurs.

1962 5 juillet - Indépendance de l'Algérie.

1963 25 mai - Création de l'Organisation de l'Unité africaine (OUA) formée de 30 États.

1964 mai-juin - Première conférence des Nations unies pour le commerce et le développement (CNUCED) à Genève.

3 novembre - Explosion de la première bombe atomique chinoise.

1965 avril - Intervention américaine armée à Saint-Domingue.

1er octobre - Indonésie : coup d'État militaire pro-occidental de Suharto contre Sukarno.

1966 24 février - Coup d'État au Ghana, chute de Nkrumah.

1967 30 mai - Nigeria : début de la guerre du Biafra.

juin - Offensive israélienne contre les pays arabes (guerre des Six-Jours).

1968 Deuxième CNUCED à New Delhi.

1970 4 septembre - Élection de S. Allende au Chili.

1971 18 décembre - Conférence des « 77 » à Lima (Pérou).

1973 23 février - Accord de Paris sur le Vietnam.

11 septembre - Coup d'État du général Pinochet au Chili, assassinat de S. Allende.

octobre - 4e guerre israélo-arabe dite du Kippour, embargo pétrolier et hausse des prix du pétrole.

1974 février-septembre - Révolution en Éthiopie.

1975 28 février - Première conférence de Lomé (Togo) et convention entre la CEE et 46 pays d'Afrique, des Caraïbes et du Pacifique (pays ACP).

30 avril - Retrait de l'armée américaine du Vietnam, entrée des Khmers rouges à Phnom Penh et des Nord-Vietnamiens à Saigon.

juin-novembre - Indépendance des colonies portugaises.

1978 17 septembre - Accords États-Unis-Israël-Égypte de Camp David sur le Proche-Orient.

1979 janvier-février - Révolution en Iran.

17 juillet - Victoire des sandinistes au Nicaragua.

27 décembre - Intervention soviétique en Afghanistan.

1980 21 septembre - Début de la guerre Iran-Irak.

1985 13 juillet - Concert Band Aid (Bob Geldof) en mondiovision, au bénéfice des affamés d'Éthiopie.

1986 7 février - Chute de J.-C. Duvalier à Haïti.
25 février - Intronisation de Cory Aquino aux Philippines.
septembre - Ouverture de l'Uruguay Round (GATT).

1987 15 octobre - Assassinat de T. Sankara, président du Burkina Faso.

1988 14 avril - Accord de paix quadripartite en Afghanistan.
8 août - Cessez-le-feu Iran-Irak.
15 novembre - Proclamation d'un État palestinien et reconnaissance d'Israël par le Conseil national palestinien.
22 décembre - Assassinat de Francisco Mendes, écologiste et syndicaliste brésilien, défenseur de l'Amazonie.

1989 17 février - Création de l'Union du Maghreb arabe (UMA) entre Algérie, Libye, Maroc, Mauritanie et Tunisie.
avril-juin - Printemps de Pékin, interrompu par l'entrée des chars place Tian Anmen le 3 juin.
9 novembre - Chute du mur de Berlin.

1990 12 février - Libération de Nelson Mandela, figure emblématique de l'ANC et de la lutte contre l'*apartheid*.
2 août - Invasion et annexion du Koweït par l'armée irakienne de Saddam Hussein.

1991 27 mars - Traité d'Asuncion, premier pas dans la création du MERCOSUR entre Argentine, Uruguay, Paraguay et Brésil.
23 octobre - Accord de Paris sur le Cambodge.
30 octobre - Conférence de Madrid initiant la négociation sur la paix au Proche-Orient.
8 décembre - Réunion de Minsk proclamant la fin de l'URSS et la création de la Communauté des États indépendants, mort-née.
31 décembre - Accords de paix au Salvador.

1992 12 janvier - Interruption du processus électoral en Algérie après la victoire du Front islamique du salut (FIS).
28 janvier - Création de la zone asiatique de libre-échange (AFTA) par les pays de l'ASEAN.
3 au 14 juin - Conférence des Nations unies pour l'environnement et le développement à Rio (Sommet de la Terre).
17 juin - Massacre de Boipatong en Afrique du Sud et interruption de la Conférence pour une Afrique du Sud démocratique (CODESA).
12 août - Accord sur la création de la zone nord-américaine de libre-échange (NAFTA) entre Canada, États-Unis et Mexique.
décembre - Destitution au Brésil du président Collor pour corruption.

1993 10 avril - Assassinat de Chris Hani, secrétaire général du Parti communiste sud-africain et nouvel ajournement de la CODESA.

Kurdistan, Timor, Punjab, Cachemire, Eelam (les Tamouls du Sri Lanka).

Le tiers monde, un projet politique

Avec le règlement de la question coloniale, le tiers monde a essayé depuis plus de trente ans de se forger une unité et d'exister sur la scène internationale grâce au mouvement des non-alignés. Aucun État du tiers monde n'est signataire des accords de Yalta. *A priori*, ils n'avaient donc aucune raison de prendre parti pour l'un ou l'autre des deux blocs, de se ranger dans un camp. Le mouvement des non-alignés est officiellement formé en 1961 à la conférence de Belgrade. Depuis, le mouvement n'a jamais cessé de courir après un difficile consensus. Le groupe est en permanence mis en difficulté par les conflits nationaux ou régionaux, qui opposent ses membres (Iran-Irak, Somalie-Éthiopie, Vietnam-Cambodge...). La définition d'une attitude commune à l'égard des deux autres mondes n'était pas plus aisée : fallait-il condamner l'invasion soviétique en Afghanistan ? L'Union soviétique était-elle l'alliée « naturelle » du tiers monde ? Faut-il refuser en bloc de rembourser la dette ? Incapable d'affirmer des positions politiques stables dans la diplomatie quotidienne, le mouvement des non-alignés s'en tient le plus souvent à de sages déclarations de portée générale et de tonalité anti-impérialiste.

Néanmoins et malgré tout, le travail accompli n'a pas été négligeable. C'est de ce mouvement que sont parties la revendication d'un nouvel ordre économique international (NOEI), la création du groupe des 77, celle de l'OPEP... Aujourd'hui, avec la fin du deuxième monde, le concept même de non-alignement n'a plus guère de sens. Le jeu des trois mondes se limite à une confrontation Nord-Sud, avec, côté Sud le « groupe des 77 » (aujourd'hui 132 pays). Pour relever les défis qui lui sont lancés, ce Sud doit exister comme force et comme groupe dans les jeux mondiaux géopolitique et économique.

2. Des sous-développements en voie de diversification

Libérés du statut colonial, les pays du tiers monde participent à l'économie mondiale directement, et non plus par métropoles interposées. Tout est marchandise, les marchandises s'échangent sur un marché, le marché est mondial. Telles sont les règles avec lesquelles chaque compétiteur doit jouer au mieux de ses intérêts avec les cartes qu'il a en main.

Les pays sous-développés dans l'économie-monde

Les pays du tiers monde ne sont pas pour autant statiques, l'évolution de l'économie mondiale depuis 1960 a contribué à la redistribution des places.

• La forte croissance de l'économie mondiale des années 1945-1973 a permis d'éviter les remises en cause trop radicales. L'économie croît et s'internationalise : + 5,6 % par an en moyenne pour la production industrielle, + 7,3 % pour les échanges internationaux. Bien sûr, les écarts s'amplifient, mais la tendance est favorable.

• La crise économique et l'apparition d'une économie de crédit international entre 1973 et 1981 changent les données. L'OPEP permet le transfert vers le Sud de plus de 100 milliards de dollars en 1974. L'espoir se fortifie dans le tiers monde, alors que l'inquiétude gagne le Nord. Une dizaine de pays, principalement latino-américains, parient sur un marché mondial en expansion. Les pétrodollars qui alimentent le crédit international s'offrent à tous ces États pour accélérer une ambitieuse politique d'investissements industriels. En Asie du Sud-Est, d'autres pays font le même pari, mais jouent à fond la carte des entreprises et des banques privées. Les autres pays en voie de développement (PVD), contraints de payer plus cher le pétrole, s'enfoncent davantage. Enfin, l'Inde et la Chine poursuivent leur route sans être grandement influencées par la conjoncture de l'économie mondiale.

• Le réveil est brutal en 1981 : le crédit disparaît, ou s'oriente vers les États-Unis. Le marché mondial se réduit et se ferme. En 1987, les pays du tiers monde ont repris leur place traditionnelle dans l'économie-monde. Seules la Corée du Sud et Taiwan, qui ont su et pu investir des créneaux haut de gamme et maîtriser les technologies de pointe, se rapprochent des pays développés. L'Inde et la Chine affichent des taux de croissance respectables.

Pays du tiers monde: composition et classification

Depuis 1945 et jusqu'en 1991, c'est l'histoire et la géographie qui ont découpé le monde par tiers. Au Nord, les pays de l'OCDE, comprenant l'Europe de l'Ouest et ses diasporas, constitue le premier monde. A l'Est, les pays du bloc communiste d'Europe forment le deuxième monde.

Au Sud, un troisième monde s'est progressivement élargi avec l'indépendance des anciennes colonies: ils sont 25 à Bandoeng en 1955, 77 à Lima en 1977, 132 aujourd'hui. Si ce n'est ce transfert du premier au troisième monde, les frontières sont restées stables pendant ces quarante-six ans. Avec l'éclatement du deuxième monde, officiellement consommé le 8 décembre 1991 à Minsk, une parenthèse se referme et le monde se retrouve découpé par moitié: Nord d'un côté, Sud de l'autre, ce qui, entre autres, disqualifie le mot tiers monde pourtant si usuel.

C'est aujourd'hui le Comité d'aide au développement de l'OCDE qui définit la liste officielle des pays en voie de développement. Celui-ci a respecté à la lettre le processus historico-géographique. Il a admis, fin 1991, de faire intervenir un critère économique, celui du PNB/habitant, pour exclure de la liste six pays classés parmi les plus riches du monde: Bahamas, Brunei, Émirats arabes unis, Koweït, Qatar et Singapour. Sans doute était-ce pour permettre l'entrée de cinq nouvelles républiques d'Asie centrale (Kazaghstan, Turkménistan, Ouzbékistan, Tadjikistan et Kirghizstan).

Bien que le tiers monde forme un ensemble bien spécifique et que la frontière Nord-Sud n'ait pratiquement pas bougé depuis un siècle, les pays qui le composent sont fort dissemblables. Nombreuses sont les typologies.

• Les *classifications géographiques* ont donné naissance à des institutions continentales (Organisation de l'unité africaine - OUA), aux commissions économiques régionales de l'ONU (CESAP : Asie-Pacifique ; CEPAL : Amérique latine ; CEA : Afrique), ou à des regroupements régionaux (ASEAN pour cinq pays d'Asie du Sud-Est, Pacte andin pour quatre pays de la cordillère nord, CEAO pour cinq pays d'Afrique de l'Ouest, SADEC pour l'Afrique australe, SPEC pour douze États du Pacifique Sud, CARICOM pour douze États caraïbes...). Ces institutions gèrent des services communs, nécessités du voisinage (transport aérien), parfois des institutions monétaires ou l'amorce d'un marché commun.

• D'autres classifications sont liées à l'*histoire* qui a aussi construit des ensembles, marques d'un passé commun : Commonwealth, Conférence des chefs d'État de France et d'Afrique, Ligue arabe.

• Mais c'est l'*économie* qui a permis d'établir les typologies les plus utilisées. Pour ce faire, on utilise des indicateurs, notamment le produit national brut par habitant.
Les *Nations unies*, notamment la CNUCED, ont mis en avant plusieurs ensembles. Elles distinguent en particulier les nouveaux pays industrialisés (NPI) et les pays exportateurs de pétrole qui sont très intégrés à l'économie internationale : les premiers (producteurs) visent à conquérir des parts plus importantes du marché mondial pour écouler une production industrielle croissante ; les seconds (rentiers) sont arrivés en force sur le marché financier international où ils ont joué un rôle très important. Malgré l'opposition des grands pays du tiers monde, la CNUCED a également identifié une catégorie de pays moins avancés (PMA), qui réclament une attention et une solidarité internationales particulières. A l'époque de la Conférence de Paris, convoquée par l'ONU en septembre 1981 sur le thème de l'aide aux PMA, trente et un pays, dont vingt et un africains, répondaient aux trois critères retenus : un PIB/habitant inférieur à 100 dollars (dollar de 1970), une part de l'industrie dans le PNB inférieure à 10 % et un taux d'alphabétisation inférieur à 20 %. En septembre 1990, lors de la deuxième Conférence de Paris,

on en comptait une bonne quarantaine. En 1991, ils étaient quarante-sept. On trouve dans ce groupe des pays en véritable « chute libre économique », comme le Bangladesh, l'Éthiopie ou Haïti, mais aussi des pays qui sont simplement peu intégrés à l'économie marchande internationale comme le Bhoutan qui, avec ses 80 dollars, tenait en 1984 la palme du revenu annuel par habitant le plus bas du monde.

Depuis 1990, le PNUD met en avant un indicateur du développement humain (IDH). Cet indicateur est obtenu en combinant trois éléments : le niveau sanitaire, mesuré par l'espérance de vie à la naissance, le niveau d'instruction obtenu en pondérance, le taux d'alphabétisation des adultes et le nombre moyen d'années d'études et le niveau économique calculé à partir du PIB par habitant. L'IDH permet de classer les pays sur une échelle 0-1 (Japon : 0,981 - Guinée : 0,052).

La *Banque mondiale* propose une classification construite autour de seuils (chiffres de 1992) : 0-610 dollars pour les 43 « pays à faible revenu » (représentant 3 milliards d'habitants dont 1,133 milliard de Chinois et 850 millions d'Indiens), 0-7 619 dollars pour les 54 « pays à revenus intermédiaires » (représentant 1,1 milliard d'habitants), au-dessus de 7 620 dollars pour les 24 « pays à revenu élevé » (représentant 458 millions d'habitants). Les pays à revenu intermédiaire constituent deux sous-catégories : ceux de la « tranche inférieure » (610-2 489 dollars) et ceux de la « tranche supérieure » (2 490-7 619 dollars).

La Banque mondiale classe à part la soixantaine de pays de moins d'un million d'habitants et le groupe des « autres économies » comprenant, outre Cuba et la Corée du Nord, les républiques issues de l'URSS (soit 322 millions d'habitants). La catégorie des pays « exportateurs de pétrole à haut revenu » a, en revanche, disparu en 1992.

• L'analyse des insertions des pays du tiers monde dans l'économie mondiale observables entre 1973 et 1992 permet de mettre en avant une typologie explicative :
— *les pays pétroliers*, rentiers, qui participent au jeu économique international, principalement comme détenteurs de

	Population en millions d'habitants (milieu 1990)	Superficie en milliers de km²	PNB/hab. en dollars 1990
Pays à faible revenu	3 058,3	37 780	350
Mozambique	15,7	802	80
Tanzanie	24,5	945	110
Éthiopie	51,2	1 222	120
Somalie	7,8	638	120
Népal	18,9	141	170
Tchad	5,7	1 284	190
Bhoutan	1,4	47	190
RDP lao	4,1	237	200
Malawi	8,5	118	200
Bangladesh	106,7	144	210
Burundi	5,4	28	210
Zaïre	37,3	2 345	220
Ouganda	16,3	236	220
Madagascar	11,7	587	230
Sierra Leone	4,1	72	240
Mali	8,5	1 240	270
Nigéria	115,5	924	290
Niger	7,7	1 267	310
Rwanda	7,1	26	310
Burkina Faso	9,0	274	330
Inde	849,5	3 288	350
Bénin	4,7	113	360
Chine	1 133,7	9 561	370
Haïti	6,5	28	370
Kenya	24,2	580	370
Pakistan	112,4	796	380
Ghana	14,9	239	390
Rép. centrafricaine	3,0	623	390
Togo	3,6	57	410
Zambie	8,1	753	420
Guinée	5,7	246	440
Sri Lanka	17,0	66	470
Mauritanie	2,0	1 026	500
Lesotho	1,8	30	530
Indonésie	178,2	1 905	570
Honduras	5,1	112	590
Égypte, Rép. arabe d'	52,1	1 001	600
Afghanistan	—	652	—
Cambodge	8,5	181	—
Libéria	2,6	111	—
Myanmar	41,6	677	—
Soudan	25,1	2 506	—
Vietnam	66,3	330	—

	Population en millions d'habitants (milieu 1990)	Superficie en milliers de km²	PNB/hab. en dollars 1990
Pays à revenu intermédiaire	1 087,5	41 139	2 220
Bolivie	7,2	1 099	630
Zimbabwe	9,8	391	640
Sénégal	7,4	197	710
Philippines	61,5	300	730
Côte d'Ivoire	11,9	322	750
Rép. dominicaine	7,1	49	830
Papouasie-Nouvelle-Guinée	3,9	463	860
Guatemala	9,2	109	900
Maroc	25,1	447	950
Cameroun	11,7	475	960
Équateur	10,3	284	980
Rép. arabe syrienne	12,4	185	1 000
Congo	2,3	342	1 010
El Salvador	5,2	21	1 110
Paraguay	4,3	407	1 110
Pérou	21,7	1 285	1 160
Jordanie	3,2	89	1 240
Colombie	32,3	1 139	1 260
Thaïlande	55,8	513	1 420
Tunisie	8,1	164	1 440
Jamaïque	2,4	11	1 500
Turquie	56,1	779	1 630
Panama	2,4	77	1 830
Costa Rica	2,8	51	1 900
Chili	13,2	757	1 940
Botswana	1,3	582	2 040
Algérie	25,1	2 382	2 060
Maurice	1,1	2	2 250
Malaisie	17,9	330	2 320
Argentine	32,3	2 767	2 370
Iran, Rép. islamique d'	55,8	1 648	2 490
Angola	10,0	1 247	—
Liban	—	10	—
Mongolie	2,1	1 565	—
Namibie	1,8	824	—
Nicaragua	3,9	130	—
Yémen, Rép. du	11,3	528	—
Mexique	86,2	1 958	2 490
Afrique du Sud	35,9	1 221	2 530
Venezuela	19,7	912	2 560
Uruguay	3,1	177	2 560
Brésil	150,4	8 512	2 680
Gabon	1,1	268	3 330
Trinité-et-Tobago	1,2	5	3 610
Corée, Rép. de	42,8	99	5 400
Arabie Saoudite	14,9	2 150	7 050
Iraq	18,9	438	—

	Population en millions d'habitants[1] (milieu 1990)	Superficie en milliers de km²	PNB/hab. en dollars 1990
Libye	4,5	1 760	—
Oman	1,6	212	—
Pays à autres économies			
Cuba	11,0	111	—
Corée, Rép. pop. de	22,0	121	—
Ex-URSS	289	22 402	—
Pays de moins d'un million d'habitants			
Guinée-Bissau	980	36	180
Gambie	875	11	260
Guyana	798	215	330
Guinée équatoriale	417	28	330
São Tomé-et-Principe	117	1	400
Maldives	214	b[1]	450
Comores	475	2	480
Iles Salomon	316	29	590
Samoa-Occidental	165	3	730
Kiribati	70	1	760
Swaziland	797	17	810
Cap-Vert	371	4	890
Tonga	99	1	1 010
Vanuatu	151	12	1 100
Saint-Vincent	107	b	1 720
Fidji	744	18	1 780
Sainte-Lucie	150	1	1 900
Belize	188	23	1 990
Grenade	91	b	2 190
Dominique	72	1	2 210
Suriname	447	163	3 050
Saint-Kitts-et-Nevis	40	b	3 330
Antigua-et-Barbuda	79	b	4 600
Seychelles	68	b	4 670
Barbade	257	b	6 540
Bahamas	255	14	11 420
Qatar	439	11	15 860
Bahreïn	503	1	—
Brunei	256	6	—
Djibouti	427	23	—
États féd. de Micronésie	103	1	—
Iles Marshall	34	0	—

1. En milliers d'habitants pour les pays de moins d'un million d'habitants. b ; moins de 500 km².

Source : d'après la Banque mondiale, *Rapport sur le développement dans le monde*, 1992.

capitaux. Ils sont peu nombreux et surtout localisés dans la péninsule arabique ;
— les nouveaux pays industrialisés (NPI) qui participent activement aux relations commerciales internationales. Un premier groupe est principalement formé de pays latino-américains (Argentine, Brésil, Mexique...) en général massivement endettés. Un deuxième groupe est constitué de pays intégrés à l'économie transnationale et jouant la carte des plates-formes financières et des zones franches industrielles. Ils sont peu nombreux et surtout situés dans le Sud-Est asiatique (Singapour mais aussi les Bahamas). La Corée et Taiwan ont des performances spécifiques, notamment dans les créneaux haut de gamme ;
— *la Chine et l'Inde*, masses continentales qui maîtrisent leurs liaisons avec l'économie internationale peuvent être classées à part ;
— *les pays les moins avancés*, en voie de marginalisation de l'économie mondiale, souvent réduits à la mendicité, qui n'ont guère les moyens de rejoindre aucun des groupes précédents. Ils sont nombreux, une trentaine, et surtout africains (Mali, Niger, Tchad, mais aussi Bangladesh, Bolivie...).
— Reste un *solde hétérogène de pays* qui subsistent comme ils peuvent grâce à quelques ressources minières, des crédits internationaux, la proximité d'un marché, des zones franches... Ils sont nombreux, près de quatre-vingts, à occuper ainsi une place incertaine entre PMA et NPI. Mais la faible croissance mondiale (3,2 % en 1989, 2,1 % en 1990, − 0,4 % en 1991) attire tout le monde vers le bas.

II / Comprendre le sous-développement : les théories explicatives

Si le sous-développement existe, il doit pouvoir s'analyser. Pour ce faire, les « quantitativistes » ont essayé d'identifier des indicateurs du sous-développement. Même si chaque indicateur fait apparaître des cas particuliers, leur combinaison définit le groupe des « pays sous-développés » qui généralement présentent les caractéristiques suivantes.

• Une couverture sanitaire et une espérance de vie faibles : 47 ans au Mozambique, 48 ans en Éthiopie, alors que les pays développés dépassent tous 74 ans.

• Des taux d'alphabétisation bas — surtout en Afrique : 18 % au Burkina Faso et 21 % en Sierra Leone, qui figurent parmi les moins alphabétisés, alors que la scolarisation est généralisée dans les pays développés.

• Une consommation calorique inférieure à 2 800 cal par jour dans les pays sous-développés (rations de 1 667 cal en Éthiopie, 2 021 au Bangladesh), alors qu'elle s'établit autour de 3 500 pour les pays développés. Les écarts se creusent davantage pour les consommations lipidiques et surtout protidiques.

• Une consommation énergétique inférieure à 600 kg équivalent pétrole par habitant et par an dans les pays sous-développés (13 kg au Bhoutan, 17 kg au Tchad, pour les moins « énergétivores »), alors qu'elle est supérieure à 3 500 kg dans les pays développés.

• Un faible revenu annuel par habitant (80 dollars au

Mozambique, 120 en Éthiopie, 170 au Népal), alors qu'au Nord il s'établit entre 9 550 dollars (Irlande) et 32 680 (Suisse).

• Une croissance démographique forte (3,9 % de croît annuel au Rwanda, 3,8 % en Jordanie), alors que les taux sont inférieurs à 1 % au Nord (à part l'Australie, 1,4 %).

Une fois le fait observé, restait à nommer les camps. Les dénominations traduisent en général davantage un souci très diplomatique de présentation que la recherche du juste concept. Ainsi, dans le champ économique, le vocable « pays sous-développé » qui apparaît dans le langage des économistes classiques se transforme-t-il dans les années soixante en « pays en voie de développement », puis en « pays en développement », termes plus présentables... Ainsi, dans le champ géopolitique, le vocabulaire dominé par le mot « tiers monde », lancé en 1952 par Alfred Sauvy pour désigner ce qui n'est ni Est ni Ouest, comme le « tiers état » rassemblait ce qui n'était ni clergé ni noblesse, s'est enrichi dans les années soixante de nouveaux vocables : « pays périphériques » et, moins répandu, « nations prolétaires », termes employés par les néo-marxistes pour manifester l'opposition centre-périphérie, ou simplement « Sud », créé dans les années soixante-dix par les diplomates soucieux d'initier un nouveau « dialogue Nord-Sud ».

Mais si le sous-développement se manifeste et se mesure, il doit pouvoir se comprendre. Les explications sont nombreuses, souvent contradictoires. Elles se réfèrent en général aux grandes familles qui s'affrontent déjà sur le terrain idéologique. Nous distinguerons quatre grands types d'explication du sous-développement correspondant aux mouvances déterministe, libérale, marxiste et alternative.

1. Les analyses déterministes : des pays handicapés par la nature et par la culture

Dans la première famille de pensée, le sous-développement est expliqué par des handicaps naturels ou culturels. Les facteurs naturels sont souvent mis en avant : les sols tropicaux se recouvrent d'une carapace latéritique, les climats chauds et humides font proliférer la mouche tsé-tsé, l'excès de chaleur nuit à l'effort prolongé... Mais ces arguments et bien d'autres n'expliquent pas pourquoi le Texas ou l'Australie sont dans le peloton de tête, ni pourquoi certaines terres tropicales qui peuvent produire deux ou trois récoltes annuelles sont restées à la traîne (hautes terres kenyanes, sols volcaniques d'Amérique centrale...).

Les explications culturelles du sous-développement sont les héritières des justifications civilisatrices des entreprises de colonisation. En haut de l'échelle, la société WASP *(white, anglo-saxon, protestant)* qui a conquis et dominé le monde depuis le XVIIᵉ siècle à partir d'Amsterdam, de Londres puis de New York. Pour certains adeptes de ce courant de pensée, la hiérarchie quant à l'aptitude au développement s'établit dans la « race » blanche entre Anglo-Saxons et Latins et dans la chrétienté entre protestants et catholiques. Mais lorsqu'il s'agit de races non blanches et de peuples non chrétiens, les aptitudes au développement disparaissent : l'islam bloquerait les évolutions et les innovations sociales et techniques, l'hindouisme ferait vivre les hommes dans un éternel recommencement, l'animisme maintiendrait l'individu dans la terreur de la nature et des ancêtres...

Ces explications oscillent entre l'intéressant et le douteux. Le douteux, c'est l'aile raciste de cette famille idéologique qui hiérarchise les natures et les cultures, variations connues sur le noir ou le jaune qui semblent oublier la grandeur passée des mondes chinois, indien, khmer, aztèque, yoruba ou arabe et l'hésitation de l'histoire avant le XVIᵉ siècle (et sa possible revanche au XXIᵉ siècle). L'intéressant, c'est la constatation de certaines corrélations entre les réalités naturelles et culturelles et les réalités économiques. N'importe quelle société n'est sans doute pas faite pour n'importe quel mode de développement. L'avancée du mode de production capitaliste va de pair avec l'avancée des rapports sociaux correspondants et la dissolution des modes traditionnels. La force de la « tradition » freine souvent le développement capitaliste. Le développement a une dimension culturelle qu'il n'est pas négligeable de souligner.

2. Les analyses libérales : des pays attardés sur le chemin de la croissance

Dans la tradition libérale, de nombreux auteurs se sont exprimés sur le sous-développement. W.W. Rostow, en publiant en 1960 *Les Étapes de la croissance économique*, sous-titré dans la version anglaise « Un manifeste non communiste », sert de référence. Selon lui, chaque nation suit une trajectoire économique similaire, et tout pays peut arriver au stade ultime du « développement », s'il crée et maintient des conditions favorables à la croissance. Le sous-développement ne serait donc qu'un retard. Plusieurs étapes immuables — la transition, le démarrage et la maturité — mènent de la société traditionnelle à la société de consommation de masse. L'étape charnière est le « démarrage », appelé aussi « décollage » ou *take-off*. En fait, Rostow limite son raisonnement à la montée du taux d'investissement. Le démarrage se produirait lorsque ce taux passe de moins de 5 % à plus de 10 %. Ainsi le démarrage aurait eu lieu en 1780 en Grande-Bretagne, en 1830 en France, en 1843 aux États-Unis, en 1845 en Allemagne, en 1879 au Japon, en 1890 en Russie, en 1935 en Australie, Turquie, Argentine, au Mexique et en 1950 en Chine et en Inde.

Les libéraux restent fidèles aux pères fondateurs. Avec Adam Smith, ils considèrent comme central le rôle du marché et le passage de la richesse des mains stériles des propriétaires fonciers aux mains fertiles des entrepreneurs. Avec Ricardo, ils proposent que, selon la théorie des avantages comparatifs, chaque économie se spécialise en fonction de ses points forts dans le cadre d'une économie mondiale intégrée. L'école libérale explique le sous-développement soit par le non-respect des règles économiques dc base — liberté des échanges et vérité des prix —, soit par la permanence de déséquilibres économiques et financiers — déficit budgétaire, déficit des balances extérieures —, soit encore par le renforcement d'entraves à l'action des entrepreneurs — surpuissance de l'appareil d'État, sursyndicalisation des travailleurs ou prolifération des classes parasitaires. Le plus souvent, les trois « vices » se combineraient pour enfermer les pays dans le sous-développement. Les dernières générations d'économistes libéraux, à la suite de l'école de Chicago du professeur Milton Friedman, ont mis l'accent sur l'importance d'une bonne maîtrise de la masse monétaire.

Mais le débat qui porte sur la validité des hypothèses qui sont à la base de la pensée libérale est plus intense encore lorsque celles-ci s'appliquent aux pays sous-développés. Les marchés locaux ou nationaux, le marché international permettent-ils une concurrence loyale et une orientation pertinente des facteurs de production ? Y a-t-il bien cohérence entre la loi du profit individuel et l'intérêt collectif ? Les pays du tiers monde peuvent-ils valoriser leurs « avantages comparatifs » ? La spécialisation internationale peut-elle ne pas être une hiérarchisation ?

L'école libérale accepte, comme un acquis, le système économique libéral bâti au XIXᵉ siècle par l'Angleterre sur la base des idées de Smith et de Ricardo. Elle combat toute idée de nouvel ordre mondial. Elle produit surtout des liquidateurs de sociétés précapitalistes, des gestionnaires de l'ordre dominant et des tacticiens de la restauration des équilibres. Elle sert de référence aux gestionnaires de l'ordre économique dominant, c'est-à-dire aux trois institutions créées à Bretton Woods en 1945 (FMI, GATT et Banque mondiale) et aux responsables des grands pays occidentaux.

3. Les analyses marxistes : des pays périphériques dominés et exploités

L'école d'inspiration marxiste a toujours situé sa réflexion à l'échelle mondiale. Depuis les aventures coloniales du XIXᵉ siècle et la dépression des années 1875-1895, le Sud est analysé comme l'armée de réserve, le grand réservoir de main-d'œuvre des puissances centrales impérialistes. L'impérialisme est abondamment analysé par Lénine, Boukharine, Rosa Luxemburg. Il est tour à tour perçu comme un moyen de généraliser le mode de production capitaliste, de trouver des débouchés ou d'investir du capital trop abondant. Dans les années soixante naît un courant spécifique centré sur l'analyse du sous-développement des pays du tiers monde.

L'Égyptien Samir Amin, auteur notamment de *L'Accumulation à l'échelle mondiale*, est, sans doute, l'économiste le plus renommé de ce courant néo-marxiste.

L'analyse repose toujours sur les règles de l'accumulation du capital et celles de l'évolution historique des sociétés décrites par Karl Marx, mais elle insiste particulièrement sur les modalités de l'échange international. Celles-ci, maîtrisées par les pays du Nord, contribuent au renforcement de la division internationale du travail, à un accroissement des inégalités internationales et de la dépendance des pays du Sud. L'échange international, surtout s'il est « libre », ne peut être qu'inégal puisque les partenaires du Nord et du Sud n'ont pas la même capacité de s'imposer sur le marché et de fixer les prix. La richesse, par le jeu de l'échange, s'accumule donc au « centre », même si elle est produite dans les « périphéries » du Sud.

A côté de Samir Amin et de la dynamique centre-périphérie qu'il a présentée, on peut citer Arghiri Emmanuel, qui a consacré un livre à l'« échange inégal », Immanuel Wallerstein, qui a largement décrit la montée de l'« économie-monde » dans laquelle s'inscrivent aujourd'hui les pays du tiers monde, Gunder Frank, auteur du *Développement du sous-développement*, et l'« école de la dépendance », constituée autour d'économistes latino-américains comme Celso Furtado ou Raul Prebisch.

On a tendance aujourd'hui à ne pas limiter l'explication du sous-développement au facteur international et à dire que l'échange inégal est sans doute moins déterminant que la désorganisation des économies du tiers monde. La colonisation et le capitalisme ont détruit ou soumis les sociétés traditionnelles, provoquant la montée d'un chômage très important. Celui-ci fait plafonner les salaires à un niveau si bas que, souvent, il ne permet pas la reproduction d'une force de travail qui continue à être entretenue en partie par le secteur pré ou péricapitaliste : secteur traditionnel en Afrique, secteur minifundiaire en Amérique latine. Ces salaires interdisent l'épargne et l'investissement, alors que la maigre consommation qu'ils autorisent s'alimente de plus en plus sur le marché mondial. Dans la majorité des pays, les villes du tiers monde sont nourries par les grains américains ou européens. Les biens industriels sont souvent importés. Aucune accumulation n'est donc possible dans les périphéries. En langage clair, le développement y est impossible.

Le processus qui transforme la majorité des pays en « nations prolétaires » peut poursuivre, sans trop de difficultés, son triste ouvrage grâce aux alliances conclues entre les pays du centre et les minorités privilégiées des pays du Sud : armée, police, bourgeoisie *compradore* (c'est-à-dire tournée vers l'extérieur). L'ordre « capitaliste périphérique sous-développé » se maintient en faisant régner l'ignorance et, surtout, la terreur. Le sous-développement subsistera tant que l'alliance des bourgeoisies *compradores* et du capital international tiendra. Le renversement des *compradores* par les nouveaux prolétaires du monde et la rupture de l'alliance internationale qu'ils ont conclue sont donc, pour ce courant de pensée, les premières clés de la sortie du sous-développement.

L'influence de ce courant de pensée a été très important dans le tiers monde, notamment en Amérique latine, mais aussi en Europe. Il a intellectuellement alimenté ce que l'on a appelé « le tiers-mondisme ». A l'aise dans l'attaque du colonialisme et du néo-colonialisme, ses tenants ont eu néanmoins beaucoup de difficulté à gouverner. De là principalement vient le doute qui plane aujourd'hui sur l'opérationnalité des idées de l'école marxiste.

4. Les interprétations des « alternatifs » : des pays divers, astreints à un modèle inadapté

Les courants libéraux et marxistes identifient développement et croissance, croissance et accumulation, enfin accumulation et industrialisation. Ils partagent en général le même mépris pour les sociétés traditionnelles, la même foi productiviste dans l'industrie et la technologie moderne, même s'ils divergent quant à l'appréciation qu'ils ont des « régimes d'accumulation » et des modalités de l'échange.

Dans les années soixante, certains auteurs se sont élevés contre la vision universaliste imposée par ce modèle, fondé sur le « mode de production fordiste » et les technologies euro-américaines. Selon eux, le modèle productiviste occidental est à la base du processus qui conduit les sociétés traditionnelles vers le sous-développement. Ce courant de pensée célèbre quelques prophètes. Il s'agit souvent de déçus du libéralisme ou du socialisme : E.F. Schumacher, un Anglais disciple de Gandhi, qui publie en 1973 *Small is beautiful* et lance la mode des technologies intermédiaires ; Ivan Illich, qui fustige la société industrielle, ses institutions, ses outils et ses technologies et met en lumière l'importance des valeurs d'usage, du vernaculaire, de la convivialité et de la bicyclette, dans des écrits iconoclastes comme *Libérer l'avenir* ; Jacques Ellul, qui assimile, dans *Changer de révolution - l'inéluctable prolétariat*, industrialisation, prolétarisation et travail forcé et décrit les étapes de destructuration sociale et économique des sociétés traditionnelles ; Ignacy Sachs, économiste plus classique, qui forge le concept d'écodéveloppement ; l'agronome René Dumont, qui prend la défense des paysans contre l'État et du Sud contre le Nord ; René Garaudy, qui célèbre les cultures et les religions non européennes ; François Partant, qui proclame la *Fin du développement* ; Alain Lipietz, qui s'engage avec les Verts et écrit *Vert espérance, l'avenir de l'écologie politique.* Ces auteurs ont assuré la jonction entre la pensée tiers-mondiste et la pensée écologique, à partir de la même dénonciation du mode de production industrielle.

En juin 1992, à Rio, au Sommet de la Terre, ce courant de pensée était bien présent. Il régnait en maître au Forum global où 2 000 organisations non gouvernementales s'étaient retrouvées pour célébrer à leur manière l'événement. Il rôdait également dans les couloirs de la Conférence des États. Il n'y a en effet qu'un pas entre la prise de conscience de la globalité des problèmes de l'effet de serre, de la perte de biodiversité et de la destruction des forêts... et la remise en cause du mode de production industrielle et, plus largement, du mode de développement. Mais c'est un pas immense car, depuis deux siècles, le monde s'est construit sur cette logique.

Contrairement aux autres écoles de pensée, ce courant — qu'on pourrait qualifier d'« alternatif » — valorise aussi bien les sociétés traditionnelles qui ont su s'établir et se maintenir en exploitant des milieux naturels variés et souvent difficiles, que les efforts tentés dans les marges pour faire naître de l'économique, du social et du culturel « alternatifs ». L'arrivée des Occidentaux, de leurs commerçants, de leurs missionnaires, de leurs militaires, de leurs administrateurs et de leurs experts, a destructuré les sociétés indigènes, cassé les équilibres établis avec le milieu naturel et stoppé leurs évolutions historiques. L'intégration des pays du Sud à un marché mondial et à une société industrielle conçue et maîtrisée par les pays occidentaux ne leur réserve aucun autre avenir que le sous-développement ou plutôt le mal-développement, c'est-à-dire, à terme, la désertification des espaces ruraux et la cancérisation des espaces urbains.

Les adeptes de la nébuleuse écologico-tiers-mondiste militent pour la revitalisation des sociétés indigènes et la restauration de leur autonomie. Cette remise en marche suppose une évolution endogène des modes de production, et, pour ce faire, la mise en place d'une recherche adaptée aux réalités locales et l'émergence de technologies nouvelles et appropriées. Les alternatifs ont eux aussi des faiblesses. A l'aise dans l'analyse des échelles « micro », ils ont du mal à proposer des politiques réalistes aux échelles nationale et internationale. Pour que des développements endogènes, autocentrés, décentralisés se produisent, ne faudrait-il pas que cesse la pression économique, culturelle, diplomatique et militaire des pays développés ? Se pose donc alors la question du comment ? Et notamment, du comment faire écran ?

Ce panorama reste, bien sûr, trop rapide. La typologie proposée ne permet pas de trouver une place pour tout le monde. Où classer François Perroux, par exemple, qui a contribué à faire du développement un objet d'étude à part entière ? Où classer le géographe Yves Lacoste, auteur de *Géographie du sous-développement* et de *Unité et diversité du tiers monde* ? Les théories évoluent avec les réalités qu'elles essayent d'interpréter, et grâce à la dialectique du débat qu'elles entretiennent entre elles. Aujourd'hui, le débat sur le tiers-mondisme permet aux libéraux de reprendre l'offensive idéologique. En fait, ce qui apparaît, c'est à la fois le malaise des théoriciens d'avoir si mal décrit les évolutions, et le malaise des praticiens de devoir œuvrer le plus souvent à l'aveuglette.

III / Le défi démographique

En 1992, nous étions plus de cinq milliards trois cents millions d'êtres humains sur la planète. En 1900, nos ascendants étaient 1,6 milliard. En 2100, d'après certains experts, nos descendants seront douze milliards. L'essentiel de la progression démographique à venir sera le fait des pays du Sud. La population « européenne » (Europe, États-Unis, Canada, Australie, Nouvelle-Zélande, Union soviétique moins ses républiques musulmanes) ne représentera plus qu'un peu plus de 10 % de la population mondiale, alors qu'elle représentait, au début du siècle, plus du tiers et aujourd'hui encore le quart. Tout au long de la décennie soixante-dix, ces perspectives ont fait frémir le monde occidental, libérant les fantasmes d'un monde envahi par la barbarie : l'Occident, assiégé, ne risque-t-il pas d'être submergé par cette marée multicolore ? Tel est l'arrière-plan idéologique de la Conférence mondiale sur la population qui se réunit en 1974 à Bucarest. L'Occident, États-Unis en tête, s'y fait le propagandiste d'idées antinatalistes et d'une large diffusion des techniques de contrôle des naissances. Le tiers monde reçoit le message avec agacement, et crie à l'ingérence. Il s'agit d'affaires intérieures, sinon intimes. Si « dialogue Nord-Sud » il doit y avoir, celui-ci doit porter sur la construction d'une économie mondiale plus juste. L'équilibre doit être trouvé à la hausse par le développement et non à la baisse par la réduction des naissances. Dix ans plus tard, en 1984, à Mexico, lors de la seconde Conférence mondiale sur la population, le ton change. Du côté du tiers monde, la grande majorité des pays admet que la croissance démographique de leurs populations est un réel problème ; du côté américain, en revanche, on se déclare hostile à toute intervention sur les naissances, la vague conservatrice et moralisante qui a porté Ronald Reagan à la présidence ne pourrait le tolérer. Mais ce qui importe davantage, c'est l'optimisme des démographes. Leurs calculs semblent se confirmer : dans le tiers monde, les taux d'accroissement démographique s'infléchissent. La « transition démographique » qu'ont connue les pays du Nord au XIXe et au XXe siècle semble s'amorcer.

1. La transition démographique

La croissance ou le déclin démographique provient de l'écart, dans un temps donné, entre les naissances et les décès. L'équilibre démographique est obtenu lorsque les taux de natalité et de mortalité s'égalisent. La croissance démographique peut donc être affectée soit par une évolution de la mortalité, soit par une évolution de la natalité. Jusqu'au XIXe siècle, en Europe et jusqu'à la moitié du XXe siècle dans le tiers monde, on est proche de l'équilibre, mais cet équilibre est dû à une très forte mortalité.

Aujourd'hui, dans les pays développés, on approche aussi de l'équilibre, mais cette fois la mortalité, très réduite (10 ‰) par rapport à ce qu'elle fut jusqu'au XIXe siècle (50 ‰), est à peine contrebalancée par une natalité qui a chuté dans les mêmes proportions. La régulation, qui était le fait de la mortalité (guerres, maladies, famines, etc.), est maintenant le fait du contrôle des naissances. La famille à deux enfants est devenue la norme communément admise. Le tiers monde, lui, connaît depuis quelques décennies un déséquilibre très accentué ; alors que la mortalité baissait fortement du fait des progrès de l'hygiène et de la médecine et du caractère moins meurtrier des guerres et des famines, la natalité restait proche de sa valeur plafond de 50 ‰, voire 60 ‰... La chute de la mortalité a donc fait apparaître des taux de croissance démographique de 20 à 30, voire 40 ‰.

Au temps où les humains étaient exclusivement occupés à la chasse et à la cueillette, ils n'étaient, sans doute, guère plus de dix millions à peupler la planète. Peu à peu, les cultivateurs défrichent et colonisent, repoussant les peuples chasseurs. On estime que la population mondiale atteint les trois cents millions au début de notre ère ; colonisation de l'espace et croissance démographique vont de pair, comme l'a bien montré Ester Boserup dans son livre *Évolution agraire et pression démographique.*

En Europe occidentale, la phase des grands défrichements s'achève au XIIIᵉ siècle. Pour que la population puisse s'accroître, il aurait fallu que l'agriculture s'intensifie ou que l'industrie démarre, ou qu'apparaissent de nouvelles terres à coloniser, ou encore que les richesses se redistribuent plus équitablement... Ce ne fut pas le cas. Dès le début du XIVᵉ siècle, apparaît donc un fort déséquilibre entre population et production. L'Europe s'engage dans une série de crises. Les « trois fléaux » — la Peste noire (1348), les famines cycliques (à partir de 1316) et la guerre de Cent Ans (1330) — réduisent de près de moitié la population européenne. Il faudra attendre le XIXᵉ siècle pour que la France puisse franchir le seuil des trente millions d'habitants. Avant cette date, une catastrophe « régulatrice » — épidémie, guerre ou famine — s'est toujours manifestée à son approche.

L'amélioration de la productivité agricole qui renforce la capacité nourricière, la révolution industrielle qui nécessite de nouveaux bras et les premiers progrès significatifs de la médecine, ou au moins de l'hygiène, se conjuguent aux XVIIIᵉ et XIXᵉ siècles pour débloquer le plafond démographique européen. En 1840, on observe en France pour la première fois une baisse de la natalité. Les taux d'accroissement démographique atteignent alors le taux record de 1 %, voire 1,5 % par an. Un désajustement population-production et un trop-plein d'hommes pouvaient même apparaître, comme ce fut le cas en Irlande à la moitié du XIXᵉ siècle, mais les Européens pouvaient s'expatrier en Amérique, en Afrique, ou en Océanie... Au XXᵉ siècle, avec les morts des deux guerres mondiales, respectivement 17 et 50 millions, et l'explosion économique des « trente glorieuses » (1945-1975) (mais avant la crise), l'Europe est plutôt inquiète de son manque d'hommes.

Baisse de la mortalité, triomphe de l'hygiène et des assurances-survie internationales

Les missions catholiques ou protestantes s'occupent de la santé tout comme les administrations coloniales, qui créent des dispensaires et des hôpitaux, des services mobiles spécialisés dans l'éradication des grandes endémies, des instituts de production de vaccins.

La seule application de quelques règles élémentaires d'hygiène (surveillance de la plaie ombilicale, propreté de l'eau) et la surveillance des maladies les plus meurtrières (rougeole, méningite, parasitoses) font chuter la mortalité infantile. Avec les vaccins et les antibiotiques dont l'emploi est aisé, les principales causes de mortalité sont contrées. Avec la quinine puis la nivaquine, le paludisme régresse. Les États renforcent le réseau des hôpitaux et des dispensaires. Dans les pays à faible revenu, le nombre de médecins croît rapidement : de 1965 à 1981, on passe d'un médecin pour 8 570 habitants à 1 pour 6 050, mais de 1 pour 26 650 à 1 pour 17 670, si on retire l'Inde et la Chine qui sont mieux dotées. L'Organisation mondiale de la santé (OMS) prend position à la conférence d'Alma-Ata (1978) pour la médecine préventive et la politique des « soins de santé primaire » : priorité est donnée au traitement des maladies de base et à la multiplication de « médecins aux pieds nus » et de matrones, plutôt qu'à une surspécialisation médicale fort coûteuse. Bien que le dispositif pour la médecine curative reste souvent très élémentaire et peu fiable, l'hygiène, la vaccination, la prévention font chuter la mortalité.

La faim est partout présente dans le tiers monde. Pourtant, les famines ont pu être limitées ces dernières décennies par un système d'aide alimentaire mis en place au niveau international. L'accord international — qui porte sur dix millions de tonnes de grains — joue pour le tiers monde un rôle d'« assurance-survie » efficace. Mais, et les drames éthiopien et soudanais (1983-1985) sont venus nous le rappeler, dès que le problème prend de l'ampleur, la parade devient difficile.

A l'inverse de la faim, la guerre diffuse tend à disparaître alors que les conflits importants se multiplient dans les zones de tensions. La rigidité des frontières, l'armement moderne, la surveillance des grands et l'apparition de l'État de droit tendent à éliminer les guerres moyenâgeuses au profit des conflits modernes.

A l'exception de l'invasion de la Tchécoslovaquie en 1968, les cent trente conflits recensés dans le monde entre 1945 et 1985 sont tous situés dans le tiers monde. On retient une dizaine de zones d'infection majeures et plus ou moins internationalisées : le Cambodge, l'Afghanistan, le Machrek, le Moyen-Orient, l'Afrique australe, la corne de l'Afrique, le Sahara occidental, le Tchad et l'Amérique centrale. A part l'Amérique du Sud, le réseau des conflits touche donc tout le tiers monde. On évalue à 13,5 millions le nombre des victimes de la guerre depuis 1945, ce qui est très inférieur aux mortalités autrefois causées par les guerres.

Ces différents facteurs expliquent la baisse des taux de mortalité qui est apparue dans le tiers monde. Dans les pays à faible revenu, Chine et Inde comprises, les taux de mortalité infantile (enfants de moins de 1 an) et juvénile (de 1 à 4 ans) ont baissé de moitié entre 1962 et 1980, passant respectivement de 165 ‰ à 85 ‰ et de 27 ‰ à 11 ‰. L'espérance de vie dans la même période est montée de 42 à 58 ans pour les hommes et de 41 à 60 ans pour les femmes. La mortalité a diminué de 24 ‰ à 11 ‰, taux qui se rapproche du taux de mortalité des pays développés (9 ‰).

Baisse de la natalité, effet des évolutions socio-économiques

La montée de l'urbanisation, la moindre mortalité infantile et juvénile qui assure les parents de garder leurs enfants, la valorisation culturelle de la famille à deux ou trois enfants, le recul de l'âge du mariage, une meilleure éducation des couples et un accès plus facile aux différents moyens de contraception font chuter les taux de fécondité. D'une façon générale, l'amélioration de la situation sociale des femmes joue fortement dans le sens du déclin de leur fécondité ; si leur seule source de valorisation sociale provient de leur rôle de mères, elles ont tendance à multiplier les naissances.

Les politiques antinatalistes qui ont commencé à se multiplier — Inde (1951), Corée (1961), Indonésie et Mexique (1970) — ont donné des résultats mitigés. Seule la Chine a obtenu des résultats vraiment probants ; elle a pu réduire son taux de natalité de moitié en trente ans (de 39,8 ‰ à 19 ‰ entre 1950 et 1980). Mais la manière employée par des fonctionnaires trop zélés est pour le moins discutable. La politique du « un enfant par famille » a notamment entraîné l'infanticide de beaucoup de bébés filles.

Conséquence d'un mouvement naturel plus que de politiques volontaristes, il semble bien que la démographie mondiale soit en train de basculer après avoir atteint un taux de croissance record entre 1965 et 1970. La séquence est la suivante : le croît atteint 18,5 ‰ entre 1950 et 1960, 20,6 ‰ entre 1965 et 1970, puis tombe à 17,7 ‰ entre 1975 et 1980, et à 16,7 ‰ entre 1980 et 1985. Les démographes attendaient ce sommet depuis quelque temps mais désespéraient de l'observer. C'est maintenant chose faite.

En supposant l'accomplissement total et général de la révolution démographique, certains démographes prévoient pour la population mondiale un effectif de stabilisation de douze milliards d'individus, atteint à la fin du XXIᵉ siècle. Même si ce chiffre est astronomique, nous allons vers un seuil ; les courbes sans palier tracées par Thomas Malthus au début du XIXᵉ siècle ou par le Club de Rome au début des années soixante-dix sont contredites par les évolutions actuelles. Mais cela permet-il pour autant de passer d'un catastrophisme à la René Dumont à un optimisme modéré à la Joseph Klatzmann, qui estime que la Terre peut nourrir sans difficulté 10 milliards d'individus ? Sans doute pas, car si nous allons bien vers un seuil, son niveau est considérable, alors que les pressions qui pèsent sur certaines régions sont déjà intolérables.

2. La géographie des évolutions démographiques

En fait, pour être compréhensibles, ces chiffres globaux nécessitent d'être décomposés géographiquement, car des évolutions divergentes subsistent.

• Les pays développés (1,17 milliard d'habitants en 1985) ont fait leur révolution démographique : au début des années quatre-vingt, le taux de natalité moyen s'établit à 15,8 ‰. Dans certains pays (Suède, Danemark, République fédérale d'Allemagne), la mortalité prend le dessus.

• La Chine (1,06 milliard) a vu sa natalité chuter très rapidement : 19,4 ‰ en 1985 contre encore 39,8 ‰ en 1950. Une politique antinataliste vigoureuse a été mise en place pour limiter à un le nombre d'enfants par couple.

• La plupart des pays en voie de développement (2,7 milliards) gardent des taux de croissance élevés. Entre 1950 et 1985, la mortalité tombe de 24,4 ‰ à 12,8 ‰ et la natalité de 44,4 ‰ à 36,5 ‰. Les effets de cette double décroissance s'annulent. Pourtant, la mortalité n'est pas loin de son plancher alors que la natalité a encore une marge importante de régression. La dynamique de baisse de la natalité s'est déclenchée dans les pays en voie de développement. Le modèle dit de la « transition démographique » est engagé. Mais dans ce groupe subsistent près de 900 millions d'hommes pour lesquels la natalité reste élevée (44,4 ‰ en 1985). Il s'agit de l'Afrique dans sa totalité, de l'Asie du Sud et du Centre moins l'Inde, et des pays arabes producteurs de pétrole. Ce groupe a un taux de croissance de près de 30 ‰. Les autres, principalement l'Inde, l'Asie du Sud-Est et la plupart des pays d'Amérique latine — soit 1,7 milliard d'hommes —, sont, eux, nettement engagés dans la transition démographique.

Les évolutions différentielles des taux de croissance démographique risquent de peser lourd dans les relations internationales : l'Amérique latine va devenir trois fois plus peuplée que celle du Nord, et l'Afrique cinq fois plus que l'Europe. C'est d'abord pour limiter la circulation des hommes que les frontières se font plus hermétiques ; le libéralisme n'a plus cours en ce domaine, comme le prouve notamment la politique américaine de contrôle de l'immigration. La différence des taux de croissance démographique peut aussi modifier des équilibres nationaux, lorsque des communautés différentes sont mélangées. Ainsi, en 1904, l'Afrique du Sud comptait 1,2 million de Blancs et 4 millions d'hommes de couleur ; en 1985, les deux communautés comptaient respectivement 4,6 millions et 26 millions d'individus. C'est sur cet écart que se fondait le gouvernement sud-africain pour justifier la politique démographique de l'*apartheid* : contraception, avortement, stérilisation pour les femmes noires, politique pronataliste pour les femmes blanches, refoulement des populations de couleur vers les bantoustans.

3. Croissance économique et contrôle démographique... ou retour des trois fléaux

Mais pour cerner la notion d'équilibre démographique, on doit replacer le groupe humain dans sa dynamique, dans ses mouvements nationaux et internationaux, et situer sa capacité à créer de nouvelles richesses et à les distribuer.

Le manque d'exutoires au trop-plein démographique

Les nouvelles terres, une peau de chagrin : les trente dernières années ont vu quantité de réserves d'espaces disparaître ou être dégradées par une « mise en valeur » destructrice. Il reste bien à l'échelle du monde quelques grands fronts de colonisation (Amazonie et Mato Grosso, Afrique centrale, Kalimantan en Indonésie, Sibérie...), mais ne s'y installe pas qui veut. La « transmigration » d'habitants de l'île surpeuplée de Java (690 hab/km²) vers Sumatra et le Kalimantan, projet pourtant colossal engagé par le gouvernement de Djakarta dans les années soixante-dix, ne concerne chaque année que le sixième du croît démographique indonésien.

Le verrouillage des migrations internationales : comme un million d'Irlandais avaient pu fuir la famine en 1847 et 1848 et s'installer aux États-Unis, plusieurs millions d'émigrés du

Sud ont pu venir tenter leurs chances dans les pays industrialisés au cours des années cinquante et soixante. Depuis la fin des années soixante-dix, les grandes migrations internationales ont été rendues pratiquement impossibles. L'émigration est aujourd'hui une aventure souvent clandestine qui se termine dans un commissariat ou dans un camp de réfugiés. Avec la crise mondiale, le Nord s'est hérissé de législations très protectrices interdisant les arrivages massifs. Il cherche même à repousser les immigrés venus lors des périodes fastes. Tous les pays européens ont mis en place des politiques de rejet, violentes (expulsions) ou douces (aides au retour). La xénophobie et le racisme qui accompagnent toujours les périodes de crise sont pour les gouvernants, les juges et les policiers des incitations à durcir le ton.

Il en va de même des migrations Sud-Sud, qui ont toujours été importantes. Suite aux chocs pétroliers et à l'apparition de nouveaux pôles de croissance, près de 3 millions de travailleurs ont convergé vers le Moyen-Orient, la péninsule arabique ou le Nigeria. Mais le statut de migrant est encore plus précaire dans ces pays : ainsi au Nigeria, où la crise provoquée par la chute des prix du pétrole a conduit le gouvernement à expulser sans ménagement un million et demi d'Africains de l'Ouest (Béninois, Togolais, Ghanéens) en 1983 ; deux ans plus tard, une nouvelle vague d'expulsions touchait 700 000 personnes, ainsi au Koweit, où 350 000 des 400 000 Palestiniens ont dû partir après la guerre du Golfe en 1991.

La course de vitesse entre les croissances économique et démographique

Nous reviendrons dans les trois prochains chapitres sur l'état du développement : nous nous limiterons donc ici à des raisonnements globaux sur les rapports croissance démographique/croissance économique. En première approche, l'évolution du PIB/habitant, c'est-à-dire de la richesse nationale par individu, fait apparaître un bilan global positif : d'après la Banque mondiale *(Annuaire 1992)*, les pays en développement ont vu leur PNB/habitant croître de 2,5 % par an au cours de la période 1965-1990. Mais ce chiffre global mérite commentaires.

Ce chiffre reste une moyenne annuelle qui traduit mal l'évolution entre une période 1965-1973 forte ($+3,7$ % par an), une période 1975-1980 plus moyenne (2,1 %) et une période 1980-1985 franchement mauvaise (1,2 %), avec notamment des années 1982 et 1983 récessives.

Ce chiffre est la moyenne d'évolutions très divergentes selon les régions ou les types de pays. Ainsi, la Chine monte vigoureusement entre 1965 et 1973 ($+5$ %) et surtout entre 1982 et 1985 (9,3 %), atteignant un taux de croissance à deux chiffres en 1984 (12,8 %) et en 1992 (12 %). L'Asie du Sud-Est et le Pacifique progressent de 5,7 % entre 1965 et 1980 et depuis résistent bien à la crise (3,2 %). A l'autre extrême, l'Afrique subsaharienne, qui stagne entre 1973 et 1980, s'effondre entre 1982 et 1984 ($-5,5$ % par an en moyenne), ou les pays exportateurs de pétrole à revenu élevé qui, après de bonnes performances entre 1965 et 1980 ($+5$ %), connaissent de 1982 à 1986 des années noires ($-8,7$ %). L'Amérique latine et les Caraïbes suivent avec moins d'amplitude la même évolution, montrant une grande sensibilité à la conjoncture internationale : croissance forte entre 1965 et 1973 ($+4,5$ %), plus faible entre 1973 et 1980 (2,9 %), forte récession entre 1981 et 1983 ($-4,5$ %), légère reprise en 1984 et 1985 ($+2,6$ %).

En fait, il est bien difficile, voire impossible, de tirer des conclusions de ces chiffres, car les statistiques disponibles ne constituent pas une mesure fiable de la croissance économique, et ce pour au moins cinq raisons :

• Ces statistiques ne mesurent que la part repérable de l'économie monétarisée, qui dans le tiers monde ne recouvre pas, et de loin, l'ensemble de l'économie. La croissance mesurée n'est souvent que le reflet de la croissance des « valeurs d'échange » aux dépens des « valeurs d'usage », et, en définitive, la plus forte intégration à l'économie mondiale. Le Bhoutan, qui est le pays statistiquement le plus pauvre (80 dollars par habitant), n'est certainement pas le plus démuni.

• Les statistiques mesurent les « flux » et non les « stocks » de ressources. Les écologistes ont souvent dénoncé cette manière de compter : ainsi, l'exploitation accrue des ressources naturelles — l'extraction de richesses minérales, la mise en coupe d'une forêt primaire, l'extension d'une agriculture dégradante (la culture du manioc en Thaïlande, par exemple) — s'inscrit en positif dans les statistiques nationales, alors qu'elle se traduit par un appauvrissement du stock de richesses du pays.

• Les statistiques économiques sont établies à partir des prix qui ne sont que la traduction des rapports de forces nationaux et internationaux. On aura ainsi du mal à discerner ce qui est baisse de la production et ce qui est évolution négative des termes de l'échange, qui mesurent le rapport des prix des produits exportés par un pays à ceux des produits qu'il importe (si ce rapport diminue, c'est que le pays doit consacrer une plus grande quantité de travail pour acquérir la même quantité de bien importés).

• Les statistiques présentent des moyennes qui rendent difficile l'analyse des situations économiques et sociales. Les bonnes performances de l'économie chilienne de l'après-1973 traduisaient-elles vraiment la bonne santé du Chili ?

• Enfin, les statistiques sont souvent fausses, soit parce qu'elles sont une arme de propagande, ou l'élément d'une tactique, soit parce qu'elles sont élaborées avec beaucoup d'approximation... Quel paysan haïtien a jamais entrevu un enquêteur de l'Institut de la statistique de Port-au-Prince ?

Bien qu'étant un indispensable outil d'analyse, une forte vigilance s'impose donc dans l'usage de l'appareil statistique sur lequel s'appuie toute l'idéologie du développement. Car sous une apparente neutralité, celui-ci survalorise une croissance économique comprise selon le modèle capitaliste occidental.

Vu ces chiffres et les remarques qui s'y appliquent, il y a fort à craindre que, faute d'une croissance économique suffisante et faute d'une maîtrise du croît démographique, certaines régions ne voient réapparaître les « fléaux » qui ont régulé la population jusqu'à la moitié du XXᵉ siècle. Les drames éthiopiens ou somaliens, les décompositions péruviennes, plutôt que d'être des poches de misère non encore soignées par le développement, ne sont-ils pas des illustrations de situations où les déséquilibres vont s'accroissant jusqu'à une sorte d'implosion que ni l'État ni les assurances-survie internationales ne peuvent plus maîtriser ? Avec la faiblesse extrême de la société et son incapacité à vivre de l'exploitation de son espace, apparaissent les guerres, les famines et les épidémies, qui oublient alors d'être modernes.

4. Du déséquilibre démographique au déséquilibre social

La pression démographique provoque dans les zones rurales à la fois une surexploitation du milieu et un flux d'exode vers les villes. Puisque rien n'empêche les migrations internes, l'exode rural reste la dernière porte de sortie. Il se produit soit par un mouvement continu (la jeunesse après la scolarisation, les familles sans terres), soit par vagues massives quand intervient un accident économique ou climatique.

En 1900, seules deux villes du Sud — Pékin (13ᵉ) et Calcutta (14ᵉ) — étaient comptées dans les vingt plus grandes villes du monde. La Banque mondiale estime que Mexico et São Paulo, qui atteindront 28 millions et 26 millions d'habitants en l'an 2000, occuperont les deux premières places. Sur les vingt plus grandes villes, seuls Tokyo, New York et Los Angeles représenteront le Nord. Les citadins étaient dans le tiers monde 25 % en 1970, ils sont 35 % en 1990 et seront 40,8 % en l'an 2000. Ils étaient 972 millions en 1985, ils seront 2,1 milliards en l'an 2000. Ce phénomène n'a rien à voir avec l'urbanisation, somme toute lente, qui s'est produite en Europe : car si l'« armée de réserve » d'un sous-prolétariat existait bien, l'industrialisation épongeait plus ou moins le flux des migrants qui arrivaient des campagnes.

Dans le tiers monde, aujourd'hui, l'urbanisation se traduit surtout par une « bidonvillisation » ; on estime qu'une croissance démographique de 2 % l'an entraîne une croissance urbaine de 4 % et une croissance des bidonvilles de 8 %. Au Brésil, deux millions de Cariocas s'entassent à Rio dans les *favelas*, et les *flagellados* de la faim engorgent les villes du Nordeste à chaque sécheresse. Le tour du monde des périphéries urbaines du Caire à Calcutta ou de Bogota à Manille montre partout ces communautés précaires bidonvilloises, qui sont contraintes de vivre ou de survivre de débrouille, de petits métiers, de délinquance, de prostitution... Ce phénomène est un cancer, le cancer d'une société qui a perdu le pouvoir de se réguler, de gérer sa force de travail et son espace. Comme une cellule cancéreuse, le migrant n'a plus de fonction sociale. Il constitue, avec ses semblables, ces grandes poches de misère qui restent hors du jeu économique.

Les États ou les coopérations internationales sont incapables de proposer des politiques et des budgets sociaux répondant à l'immensité des besoins. Le Bureau international du travail chiffrait en 1985 à 116 milliards de dollars le budget qu'il faudrait mobiliser pour offrir un minimum de confort aux bidonvillois, chiffre qu'il faut comparer aux 30 milliards de dollars d'aide publique au développement de 1985. C'est en définitive là que se répercutent les évolutions malignes du sous-développement. La tension endémique explose parfois en émeute ; émeute de la faim, comme au Brésil, en Égypte, au Maroc, émeute de l'exaspération raciale comme en Afrique du Sud, violence permanente comme à Kingston ou à Bogota, insécurité montante partout.

IV / Le défi alimentaire

En 1992, comme en 1983 et 1984, comme en 1973 et 1974, la famine africaine a fait les gros titres de l'actualité ; enfants agonisants, regards suppliants... En 1985, le projecteur était braqué sur les Éthiopiens et les Soudanais. Bien sûr, l'ensemble des peuples du Sud ne meurt pas de faim, peut-être les téléspectateurs sont-ils mis sous pression par les *lobbies* de la faim et le *business* de la coopération. Néanmoins, la faim est bien réelle. Elle touche 400 millions de personnes selon l'Organisation des Nations unies pour l'alimentation et l'agriculture (FAO, 1984). Pour l'Organisation mondiale de la santé (OMS), 100 millions d'enfants de moins de cinq ans étaient mal nourris en 1980. Ce sont bien sûr les couches les plus pauvres qui souffrent de la faim, et aucun pays du tiers monde n'est totalement épargné. Avec la montée de la crise, les pays les plus riches, eux-mêmes, ont vu reparaître la faim. Ne dit-on pas qu'au milieu des années quatre-vingt, les États-Unis comptent près de 40 millions d'indigents ?

Tout le monde s'accorde à trouver choquante cette situation ; certains s'étonnent du peu de valorisation des potentiels productifs locaux et, de ce point de vue, il est vrai que les faims brésilienne ou soudanaise paraissent inadmissibles. Ne disait-on pas, dans les années soixante-dix, que le Soudan allait devenir le grenier du monde arabe ? D'autres ne comprennent pas la simultanéité des problèmes d'excédents

au Nord et de faim au Sud, et considèrent comme scanda-
leuses les destructions de surplus alimentaires.

1. La faim dans le monde

Au-delà du constat commun, les avis sont partagés sur les
solutions. Pour les uns, la solution à la faim du tiers monde
doit être trouvée dans une meilleure répartition des aliments
à l'échelle mondiale, et ceux-là parlent volontiers de « sécurité alimentaire » et d'« aide alimentaire », alors que, pour
les autres, il faut surtout penser au développement des agricultures vivrières locales et ceux-là parlent volontiers de
« stratégies alimentaires nationales » ou d'« autosuffisance
alimentaire ».

L'internationalisation de l'alimentation

Dans les années cinquante, le tiers monde était globalement exportateur net d'aliments ; à quelques exceptions près,
l'Argentine principalement, il est devenu importateur. Depuis
1973, les pays à revenu intermédiaire et les producteurs de
pétrole ont massivement importé. En Algérie, par exemple,
30 % de la rente pétrolière ont été utilisés pour l'achat d'aliments. A partir de 1976, la balance alimentaire du tiers
monde est devenue négative et, depuis, elle ne cesse de se
dégrader. Le tiers monde doit maintenant consacrer à son
alimentation de plus en plus de ressources dégagées des
autres secteurs (mines, industrie) ou des crédits internationaux. Le FMI a même créé à cette fin un « mécanisme de
financement compensatoire », sollicité en treize occasions
entre 1981 et 1986. En 1984, l'aide alimentaire a touché cent
pays. Elle a permis un transfert Nord-Sud de 12 millions de
tonnes de céréales, de 430 000 tonnes d'huile végétale et de
368 000 tonnes de lait écrémé en poudre, l'ensemble représentant environ 2,6 milliards de dollars (soit 9 % de l'aide
publique au développement). En 1990, l'aide alimentaire a
touché une centaine de pays pour un total de 11 millions de
tonnes. En fait, seulement 5 % de cette aide répondent à des
situations d'urgence ; le reste est distribué soit comme une

aide budgétaire, soit en accompagnement d'une transaction commerciale, soit comme un cadeau politique. Malgré son volume modeste par rapport à la consommation des pays concernés, l'aide alimentaire joue un rôle considérable dans l'évolution des modes de consommation, en favorisant le développement de la consommation de blé (entre 1960 et 1985, la part du blé dans la consommation céréalière est passée au Bangladesh, par exemple, de 2 à 20 %). Elle pèse également sur l'évolution des modes de production car, quelles que soient les précautions prises, il est bien difficile d'éviter que l'aide alimentaire ne décourage les producteurs locaux, désarmés face à cette concurrence « déloyale ».

La production alimentaire dans le tiers monde a pourtant globalement augmenté de 2,2 % par an entre 1961 et 1970 et de 3,2 % de 1971 à 1984. Mais une partie de ces productions ne reste pas sur place (soja brésilien ou manioc thaïlandais), une autre a servi à la production d'aliments du bétail, notamment de volaille. L'évolution des modes de consommation liée à l'urbanisation croissante du tiers monde, l'internationalisation des marchés et la monétarisation de l'alimentation renforcent les déséquilibres régionaux ou locaux.

Une nouvelle géographie de la faim

Dix millions de morts au Bihar (Inde) dans les années 1770, au Bengale à la fin des années 1860 ou au nord de la Chine autour de 1870 : jusqu'au XIXᵉ siècle, le monde connaissait une famine presque chaque année, y compris en Europe où, en 1847 encore, un million d'Irlandais sont morts de faim. En 1952, Josué de Castro, dans sa *Géopolitique de la faim*, attira l'attention du monde sur l'Amérique latine, et principalement sur le Nordeste brésilien. Dans les années soixante, les regards se tournaient surtout vers l'Asie et principalement vers la Chine et l'Inde. René Dumont pensait surtout à l'Inde lorsque en 1965 il publia *Nous allons à la famine*.

Depuis lors, la carte mondiale de la faim a changé. Elle s'établit aujourd'hui comme suit :

• La Chine et l'Inde ont fait, chacune à leur manière, des progrès considérables. En Chine, le maoïsme, entre 1948 et 1977, a créé une infrastructure, notamment hydraulique, importante, mais, du fait du système peu incitatif des communes populaires, ce potentiel s'est peu manifesté. En 1978, la Chine a atteint un niveau d'importation record. Entre 1978 et 1985, changement de décor : une libéralisation rapide de l'économie agricole provoque une véritable explosion de la production ; la production céréalière passe de 305 à 407 millions de tonnes. Les spectres de la faim et de l'importation reculent. En Inde, la production a aussi monté en flèche dans certains États (Punjab, Haryana et Uttar Pradesh). L'irrigation permet de passer à deux, voire à trois récoltes annuelles. Après avoir plafonné autour de 130 millions de tonnes de grains et de légumineuses de 1978 à 1983, la production atteint 150 millions de tonnes entre 1983 et 1985. En décembre 1985, les réserves atteignent 24 millions de tonnes, ce qui ne signifie pas que la faim a disparu, loin de là, car dans les situations de forte inégalité économique et sociale, disette et exportation peuvent aller de pair.

• L'Afrique, elle, décline : entre 1971 et 1984, la croissance annuelle de la production (2,6 %) est inférieure au croît démographique (2,8 %). Pour les trente-six pays les plus pauvres du monde, dont vingt-six sont africains, la consommation alimentaire a baissé de 3 % au cours des années soixante-dix. C'est aujourd'hui en Afrique subsaharienne que se trouvent les zones les plus sensibles : Sahel, Est africain, Afrique australe.

• Le Moyen-Orient et l'Afrique du Nord pourraient bien devenir des zones sensibles, de même que les pays pétroliers en fin d'exploitation ; ces pays risquent en effet de se retrouver bien nus dans l'après-pétrole ; le déficit alimentaire du Sud méditerranéen est d'ores et déjà inquiétant.

• L'Amérique latine, potentiellement et globalement riche, devrait pouvoir s'en sortir si les politiques économiques permettent le désenclavement des poches de pauvreté et facilitent l'émergence d'une petite et moyenne agriculture paysanne.

• Restent des zones ou des pays à haut risque, où l'équilibre démographie/production est on ne peut plus tendu ; c'est le cas notamment d'Haïti, du Salvador, du Pérou et de la Bolivie, de l'Égypte, du Bangladesh, du Vietnam.

Mais à cette géographie sommaire, il faudrait ajouter une sociologie de la faim. La faim va en effet de pair avec la misère rurale et urbaine, qui transcende les frontières. De nombreuses paysanneries sont « aux abois », pour reprendre le titre d'un livre de René Dumont ; qu'interviennent une sécheresse (Sahel, Éthiopie), la fermeture ou l'effondrement d'un marché, et c'est le drame, tant les capacités de résistance sont affaiblies. Dans les périphéries urbaines, où les solidarités traditionnelles n'ont plus cours, c'est pire encore ; des « émeutes de la faim » liées au renchérissement du prix du pain ont éclaté ces dernières années au Caire, à Casablanca, à Tunis, à Recife, à Kingston, à Cap-Haïtien.

Comment résoudre la question alimentaire ?

Un débat animé se poursuit sur la manière et l'échelle à laquelle il convient d'essayer de résoudre les problèmes agricoles et alimentaires.

• Pour les libéraux, c'est à l'échelle du monde qu'il faut se situer, la règle des « avantages comparatifs » donnant à chacun dans la division internationale du travail une place qui valorise au mieux ses atouts. Le rapport sur « le développement dans le monde » que la Banque mondiale a consacré en 1986 à l'agriculture attaque avec vigueur tout ce qui empêche l'émergence d'une totale transparence de l'économie mondiale (taxes, subventions, douanes, contrôle des changes...). Les libéraux mettent en avant une agriculture d'entreprise, modernisée à l'américaine.

• Pour la plupart des marxistes, c'est à l'échelle nationale qu'il faut se situer, car seul le pouvoir d'État peut s'opposer au pouvoir du capital et à l'émergence d'une division internationale du travail. Ils prônent généralement une agriculture collectivisée ou étatisée et technicienne.

• Une troisième famille, constituant une « école agraire » qui s'est largement manifestée en France, constatant les échecs sociaux des remèdes libéraux et les échecs économiques des agricultures étatisées, prône des politiques agricoles de promotion de l'agriculture paysanne à l'intérieur d'espaces agricoles de souveraineté nationale (ou régionale).

Les libéraux parlent volontiers des États-Unis, de l'Asie du Sud-Est, voire de la Turquie ou du Chili ; ils parlent abusivement de la Chine, de l'Inde et de la Corée, qui ont largement protégé leur agriculture. Les marxistes n'ont pas beaucoup de réussites à mettre en avant ; ils parlent néanmoins de Cuba. Les tenants de l'« école agraire » donnent en exemple l'Europe verte, la Chine et l'Inde, en ce que ces ensembles ont su créer des espaces de souveraineté économique où des paysanneries ont pu promouvoir des processus moins dépendants de développement agricole.

2. La modernisation des agricultures

Les agricultures traditionnelles ne sont plus en état de répondre aux besoins des économies et des sociétés du tiers monde. L'internationalisation des marchés les place en concurrence avec les agricultures américaine ou européenne. La croissance démographique et urbaine exige davantage de production et davantage de productivité, le développement industriel davantage de matières premières agricoles. Les agricultures du tiers monde doivent s'adapter à ces nouvelles contraintes.

La grande diversité des agricultures traditionnelles

Adaptées à leurs milieux naturels, les agricultures prennent de nombreux visages. Prenons comme référence la série africaine. Dans les *zones arides*, l'eau impose sa loi ; l'agriculture irriguée des oasis ou des oueds la valorise au mieux. Les techniques sont minutieuses et les cultures nombreuses, les productivités par hectare sont fortes. Hors de ces zones d'agriculture intensive, un peu de végétation et quelques points d'eau suffisent pour qu'émerge le pastoralisme. Plus au sud, dans la *zone soudano-sahélienne*, dès que les pluies atteignent 600 ou 800 millimètres, l'*agriculture pluviale* devient possible. La culture d'une céréale, souvent le mil, en alternance avec une jachère longue, permet l'alimentation d'une population rurale peu dense. La montée des pluies dans la *zone tropicale humide* crée une savane de plus en plus fournie. La production de biomasse croît. Le feu est alors l'allié d'un cultivateur peu outillé pour dégager un sol laissé en jachère le temps d'un recru forestier, c'est-à-dire pendant quinze ou vingt ans. Des cultures à cycle plus long et à enracinements plus importants deviennent possibles, notamment l'igname, la patate douce et le manioc. Plus près de l'*équateur*, la forêt domine, l'agriculture se crée des clairières.

Cette série africaine qui va de l'oasis saharien à la forêt équatoriale se retrouve dans les autres continents, mais d'autres écosystèmes ou d'autres colonisations de l'espace s'y superposent.

Les grands deltas, notamment asiatiques (Nil, Indus, Gange, fleuve Rouge et fleuve Jaune, Yangtsé), ont vu le développement d'agricultures irriguées — la maîtrise des crues implique une organisation sociale rigoureuse et forte.

Les montagnes (Andes, Atlas, Himalaya, Yémen, Philippines, Java...) ont donné naissance à des agricultures de terrasse. La maîtrise de la pente nécessite elle aussi une organisation collective durable.

L'agriculture coloniale

Dans de vastes régions, principalement en Amérique du Nord et du Sud, en Afrique du Nord ou du Sud, en Océanie, des agricultures coloniales se sont imposées. Ces agricultures ont pu rester figées comme souvent en Amérique latine, où la structure foncière n'a guère bougé et où l'esclave a été remplacé au XIXᵉ siècle par l'ouvrier agricole sans que rien ne change d'essentiel. Tout au plus a-t-on vu se multiplier sur les terres marginales le minifundium. Dans quelques rares régions, comme en Haïti, les latifundia ont été dissous après l'indépendance au bénéfice d'une petite agriculture paysanne. Dans d'autres cas, les grandes exploitations ont changé de propriétaires. Elles sont devenues domaines autogérés, comme en Algérie, ou fermes d'État, comme au Mozambique.

L'émergence d'une agriculture moderne sous-développée

Au cours des XVIIIᵉ et XIXᵉ siècles, l'agriculture européenne a connu une révolution, celle de l'introduction des cultures fourragères et de l'association agriculture-élevage. La montée de sa productivité a permis la révolution industrielle. Un siècle plus tard, l'industrie va donner à l'agriculture le moyen d'une deuxième révolution agricole, en lui fournissant engrais, pesticides et machines agricoles. Un nouveau mode de production s'est alors répandu en partant des régions céréalières (plaines d'Europe du Nord, grandes plaines américaines, Australie...). Il va s'étendre aux autres systèmes de culture et d'élevage et aux autres régions. L'industrie fournira donc à l'agriculture le chimique et le mécanique, la recherche adaptera le biologique, plante et animal, à ce nouvel environnement.

La liaison agriculture-industrie, aussi bien au niveau des facteurs de production que des produits, se développe à l'échelle mondiale. Dans les pays du tiers monde, la modernisation des agricultures s'appuie sur l'industrie des pays du Nord. En retour et pour payer leurs dettes, elles s'orientent vers des cultures d'exportation. Diffusé par les universités et les instituts de recherche, les ministères et les organismes de vulgarisation, appuyé par les industries agro-alimentaires et les négociants, ce modèle se diffuse partout dans le tiers monde. Malheureusement, partout, ou presque, se développe aussi une crise « agraire », liée à la difficulté pour les pays du Sud de mettre en œuvre ce modèle d'exploitation agricole et de créer des économies rurales qui soient productives et rentables, et qui assurent à la fois la reproductibilité du capital et la fertilité des sols.

Ces crises agraires qui frappent le tiers monde ont deux raisons principales.

• *L'inadaptation des techniques* issues d'une agronomie originaire des plaines tempérées d'Europe et d'Amérique est à citer en premier lieu. Ni la mécanisation, ni la fertilisation minérale, ni la protection chimique des cultures ne peuvent se transférer sans précautions vers les milieux arides ou tropicaux, montagneux ou deltaïques.

• *Le manque de pouvoir d'achat des agriculteurs* qui les empêche de mettre en œuvre la totalité du modèle est un second facteur de l'échec. La baisse ou l'instabilité des cours des produits et la hausse relative des facteurs de production prennent les agricultures en ciseau, particulièrement celles du tiers monde qui ne peuvent être soutenues par leurs États. Il en résulte des ruptures de stocks ou des impasses obligées sur la fertilisation. La fertilité du sol ne peut alors s'élargir, ni même souvent se reproduire.

Face à cette situation de crise, certains experts proposent un retour à la biologie. Ils remettent à l'honneur les pivots de la révolution agricole européenne du XIXe siècle : les légumineuses fourragères, l'association agriculture-élevage. Ils reprennent les recettes de l'« agriculture biologique » (fertilisation organique, polyculture-élevage). Enfin, plus modernistes, ils parlent des biotechnologies qui permettront de créer à la demande des variétés résistantes aux maladies et capables de fixer directement l'azote atmosphérique.

Géographie de la modernisation des agricultures

La diversité des situations agraires et des politiques agricoles a donné à l'« agriculture moderne sous-développée » de nombreux visages.

• *La révolution rouge, puis libérale chinoise* semble (il faut se méfier, avec les enthousiasmes prochinois !) donner des résultats probants. Depuis 1949 le maoïsme a permis un assainissement de la structure foncière et une extension considérable de la maîtrise de l'eau. Il a favorisé l'essor d'une industrie moderne des fertilisants. Mais, faute d'incitation, il n'a pas réussi à faire décoller la production agricole. A partir de 1980, on a assisté à une rapide décollectivisation : 95 % des ménages agricoles ont obtenu un droit d'usage de longue durée sur des parcelles et conclu des contrats avec l'État. Les libertés de produire, d'entreprendre, de vendre, d'employer et même de sous-louer la terre ont été restaurées. Les foires et les marchés ont réapparu.

Ce qui est remarquable, c'est que la croissance annuelle des rendements — céréales (6,1 %), coton (11,5 %) — provient moins d'un surcroît de consommation d'intrants que d'une meilleure utilisation des ressources, d'un meilleur équilibre des systèmes de culture et, bien sûr, d'une apparition des stimulants individuels. Entre 1978 et 1984, le revenu agricole est passé de 134 à 355 yuans. On a assisté en Chine à la double renaissance d'une économie de marché et d'une économie paysanne. Mais le débat demeure, car apparaissent de nouveaux rapports sociaux et une nouvelle structure sociale peu compatibles avec l'idéologie socialiste.

Le Vietnam suit la même évolution. En 1991, il est devenu troisième exportateur mondial de riz.

• *La « Révolution verte » indienne* a près de vingt ans. C'est dans les années 1968-1970 que les Fondations Ford et Rockefeller, s'appuyant sur les travaux des Centres de recherche internationaux sur le blé (CIMMYT de Mexico) et sur le riz (l'IRRI de Los Baños-Philippines), ont soutenu le lancement du mouvement de la Révolution verte au Punjab (blé) et au Bengale (riz). Depuis lors, le mouvement s'est étendu à l'Asie du Sud-Est et à d'autres continents. L'implantation de nouvelles variétés de céréales à haut rendement, réagissant bien à la fertilisation, est conçue comme le vecteur d'une modernisation complète du système de production. De fait, l'emploi de fertilisants, de pesticides, de

51

pompes pour l'irrigation s'est développé très rapidement. Personne ne met en cause la capacité productive du « paquet technologique » de la « Révolution verte », et de fait les résultats sont là ! Ce qui est en revanche discuté, ce sont les conséquences sociales du processus, qui a favorisé ceux qui tenaient déjà à la campagne le haut du pavé : les terres se sont concentrées, la mécanisation s'est substituée au travail humain... Enfin, si le modèle a pu s'appuyer en Inde sur une industrie nationale, ce n'est pas le cas partout. La modernisation risque alors de provoquer de forts courants d'importations.

• *L'agriculture subventionnée des pays pétroliers* n'a pas les reins bien solides. Bénéficiant d'investissements importants (notamment pour les pays arides dans le domaine de l'hydraulique), de subventions multiples (intrants, machines, énergie, crédits...), de protection pour l'écoulement des produits, les agricultures des pays pétroliers (Libye, Irak, Iran, Arabie, Émirats, Venezuela) sont mal préparées à affronter une concurrence extérieure. Les projets « clé en main » ont beau présenter des prouesses techniques, il n'est guère d'agriculteurs qui y croient. L'État reste administrateur. La crise pétrolière et l'épuisement prochain des gisements d'hydrocarbures sonnent le glas de ces gadgets coûteux.

• *La « révolution conservatrice » de l'agriculture latino-américaine* s'appuie sur des changements de cultures et de techniques sans changements de structure foncière. On peut distinguer trois agricultures latino-américaines : une agriculture minifundiaire de survie, peu touchée par la modernisation ; une agriculture latifundiaire de rente consacrée à l'élevage ; une agriculture spéculative constituée de grands domaines très liés au marché mondial. C'est cette troisième catégorie qui se modernise et change ses productions selon la conjoncture : sucre, puis café, puis soja au Brésil. La structure agraire répond mal aux nécessités économiques et sociales de l'Amérique latine, qui a besoin de voir se constituer une agriculture moyenne ou petite intéressée aux marchés intérieurs et à l'alimentation de la population urbaine.

• *L'asphyxie des paysans et la crise des plantations en Afrique* s'amplifient. L'agriculture africaine se modernise mal. La puissance coloniale, puis les nouveaux États et le marché mondial ont orienté la production vers l'une ou l'autre des cultures tropicales d'exportation. Du fait des prix qui sont offerts sur le marché, aucune de ces productions n'est aujourd'hui très florissante. Le vivrier commercial n'a pas été promu, si bien que les villes africaines sont nourries de l'extérieur et mangent du pain (alors que le blé pousse difficilement sous les tropiques). Reste donc aux paysans à assurer leur propre consommation avec le moins d'échanges extérieurs possibles. La distance qui sépare les pôles traditionnels de modernisation — l'État, la recherche, l'université — des paysans est considérable.

• *Les plantations d'Asie du Sud-Est* dominent maintenant les marchés des plantes pérennes tropicales. La Malaisie, l'Indonésie et la Thaïlande ont développé de grandes plantations d'hévéas, de palmiers à huile et de cocotiers. Grandes propriétés, pouvoir financier, technologies, main-d'œuvre bon marché et organisation sont les recettes de la réussite.

3. Érosion des sols, désertification des espaces ; crise de l'environnement

La terre est un capital dont l'homme, grâce à son travail, tire un revenu ; il en exploite le sol et le sous-sol. La gestion quotidienne du capital n'intéresse pas beaucoup les responsables et les experts ; seul le revenu les intéresse. Il est d'ailleurs difficile de savoir si le capital fertilité s'accumule ou se dilapide. Il est pourtant des cas limites où l'érosion apparaît : désertification progressive d'une région, salinisation d'une plaine, épuisement d'un gisement...

La prédation des ressources naturelles

• Le *sous-sol* ne s'épuise que lentement ; mais à l'échelle du temps géologique — celle qui compte en la matière —, cet épuisement est quasi instantané. Le grand émoi créé en 1972 par le Club de Rome lors de la parution de son livre *Halte à la croissance*, et nourri par les chocs pétroliers de 1973 et de 1979, est retombé comme est retombée la consommation pétrolière (qui plafonne en 1986 à 3 milliards de tonnes/an : — 25 % en quinze ans !) et le prix du baril (10 dollars à la mi-1986, 17 début 1992 au lieu des 30 du début des années quatre-vingt...) ; mais les ressources et d'abord les gisements les plus accessibles s'épuisent.

• La *mer* se dépeuple. La pêche industrielle outrepasse dans certaines régions les seuils de reproduction du poisson, comme au Pérou, et élimine la pêche artisanale, comme aux Philippines.

• Les *arbres* disparaissent dans les régions où ils constituent l'énergie principale. De vastes auréoles dénudées entourent les villes sahéliennes. Dans la région de Gisenyi (Rwanda), la durée quotidienne moyenne de la corvée du bois est de quatre heures ! A Niamey, une famille moyenne consacre près du tiers de son revenu à l'achat de bois. En Inde, en Éthiopie, dans les Andes, les bouses de vache ou de lama servent de combustible au lieu de fertiliser le sol. La terre sans arbres est une terre sans énergie, bientôt sans fertilité et à terme sans vie. Avant même la crise pétrolière, la première crise de l'énergie est pour le tiers monde la crise du bois de feu.

La dégradation des écosystèmes cultivés

La plupart des agronomes confirment la baisse de fertilité des sols, notamment des sols tropicaux qui sont particulièrement fragiles. Les écosystèmes les plus sensibles, notamment ceux qui jouxtent les immensités déjà désertifiées qui s'étalent le long des tropiques du Cancer et du Capricorne, sont engagés dans des processus de désertification irréversible. Au Maghreb, le désert remonte vers l'Atlas. Il borde la mer en Libye. Il descend au Sahel.

Mais c'est l'ensemble de la « série » qui est touché : le Sahel se dénude, la savane s'éclaircit, la forêt est attaquée. Cela vaut pour l'Afrique, où 3,6 millions d'hectares de forêt disparaissent chaque année. Cela vaut pour l'Amazonie, qui recule avec l'avancée de la frontière agricole. Cela vaut pour les écosystèmes montagneux qui, démographie oblige, sont l'objet d'une exploitation excessive. Les sols, emportés, se perdent dans la mer ou se retrouvent plus bas dans les barrages qu'ils envasent.

Ces dégradations écologiques ont deux causes principales.

• *La surexploitation des sols.* L'effet conjugué des pressions marchandes et démographiques oblige les agriculteurs à pousser la production au-delà du seuil de reproductibilité de la fertilité du sol. Le besoin d'argent lié à la monétarisation de certains usages sociaux (la dot par exemple) ou civiques (l'impôt, les frais de scolarité notamment), le remboursement d'un usurier obligent le paysan à accroître sa production. Pour les exploitations pleinement intégrées au jeu économique, une dérive spéculative peut aussi les amener à dépasser le point d'équilibre. La dégradation des termes de l'échange, la chute relative des prix — arachide ou coton, par exemple — jouent souvent dans le même sens : lorsque les prix baissent, les producteurs, faute d'alternative, sont souvent contraints d'accroître les surfaces et les rendements de la culture de rente pour maintenir leurs revenus.

• *Le transfert de techniques inadaptées.* Dans les zones arides, les stations de pompage donnent à l'homme la possibilité de nouvelles implantations, mais aussi celle d'assécher les aquifères fossiles, de saler les nappes phréatiques lorsque la station est trop près de la mer, de favoriser la concentration des troupeaux qui surpâturent et piétinent les zones périphériques. Les grands ouvrages hydrauliques, comme le haut-barrage d'Assouan sur le Nil, sont aussi à l'origine de bien des catastrophes écologiques. Faute d'une bonne maîtrise des mouvements de lessivage et d'évaporation, une couche de sel peut se déposer en surface, rendant impropres à la culture de vastes régions. Dans les zones tropicales, la mécanisation, le semis en ligne, la monoculture favorisent aussi l'érosion. Les sols laissés nus entre récolte et semis sont soumis aux épreuves de l'eau et du vent. La minéralisation rapide de la matière organique dans les zones dénudées de leur couvert arboré appauvrit le sol.

Les techniques traditionnelles qui perdurent dans un nouveau contexte (le brûlis par exemple), ou les techniques transférées à mauvais escient, s'allient pour éroder les sols. La nappe de sel, la couche de latérite, la population d'imperata (une plante nuisible) s'étendent, donnant leur triste physionomie à certaines régions tropicales.

Aura-t-on plus gagné que perdu avec les « projets d'aménagement » ? On aura perdu des milliards de tonnes de terre et des pratiques souvent raffinées et adaptées comme les taraudières des pays mélanésiens, les terrasses des agriculteurs de montagne, les galeries drainantes du Moyen-Orient... On aura gagné des infrastructures, des périmètres, des équipements. Même si ce bilan est incertain, il faut bien sûr continuer, mais sans doute faut-il demander aux experts nationaux et internationaux de regarder avec plus d'attention les milieux naturels, les sociétés, les techniques locales et d'analyser les dégâts causés par les décennies du « développement », avant de servir leurs calculs de rentabilité.

Vers le développement durable ?

La communauté internationale s'est retrouvée à Rio du 3 au 14 juin 1992 pour parler du lien environnement-développement à l'occasion du Sommet de la Terre. Au Rio Centro étaient réunis 178 délégations nationales réparties maintenant en deux camps, Nord et Sud ; à Flamengo, 2 000 ONG tenaient leur Forum. Entre eux, plusieurs milliers d'experts et de journalistes. Ce rendez-vous était attendu ; à la fois point d'orgue d'une prise de conscience écologique qui se manifeste sur le terrain politique et même électoral dans les pays du Nord et sur le terrain associatif dans les pays du Sud, premier rendez-vous diplomatique planétaire après l'éclatement du camp socialiste, donc première manifestation du nouvel ordre international annoncé par le président Bush ;

enfin, aboutissement de plusieurs processus de négociations sur des questions d'environnement global ; convention sur les changements climatiques, convention sur la biodiversité, déclaration sur les forêts.

On assista, sans conflit majeur Nord-Sud, à la signature *ad minimum* des conventions et déclarations, ainsi qu'à l'acceptation d'un *Agenda 21*, document de 800 pages présenté comme un plan d'action pour la fin du siècle.

De nouvel ordre international, il n'y en eut point. Les Américains donneront l'exemple d'un très strict conservatisme. Aucun mouvement notable vers un « autre développement » n'a pu être engagé ni même noté ; le Nord n'accepta pas le principe des écotaxes, ni celui du partage des « droits à polluer », le Sud refusa le principe d'ingérence écologique et les tendances à une internationalisation de ses richesses naturelles (forêts, génotypes).

Quant à l'*Agenda 21*, les Nations unies avaient chiffré à 120 milliards de dollars/an son coût. Il aurait fallu doubler l'aide publique au développement de 0,35 % à 0,70 % du PNB, conformément à d'anciennes promesses et, en plus, trouver 10 à 20 milliards auprès du secteur privé. C'était évidemment hors de saison.

On assista néanmoins à Rio au sacre de l'environnement et du concept du *sustainable development*, le développement durable.

V / Le défi industriel

L'industrie est née au Nord. Elle apparaît au XVIIIᵉ siècle en Angleterre et un peu partout en Europe et en Amérique du Nord au XIXᵉ. Il a fallu attendre l'émancipation des colonies pour imaginer que le Sud puisse s'industrialiser. Depuis lors, les dirigeants du tiers monde assimilent volontiers indépendance et industrialisation, et tirent souvent des plans sur la comète. La Conférence générale mondiale de l'Organisation des Nations unies pour le développement industriel (ONUDI), réunie à Lima en 1975, a mis la barre très haut ; en l'an 2000, 25 % de la production industrielle mondiale devront être le fait du tiers monde. En 1985, cette part est de l'ordre de 10 %, et encore ces 10 % comprennent-ils les industries délocalisées du Nord et la part du secteur transnational installé au Sud. Avant de préciser l'histoire et la géographie de l'industrialisation du tiers monde, nous préciserons les termes du débat qui se poursuit sur les modes d'industrialisation et leur adéquation aux réalités économiques du tiers monde.

1. Le débat sur l'industrialisation du tiers monde

Presque tous les pays du tiers monde ont mis l'accent sur l'industrialisation dans leurs premiers plans de développement. L'Algérie, qui disposait d'une rente pétrolière substantielle, mais aussi l'Inde, le Brésil, les pays socialistes... ont tous fait des efforts considérables. C'est peu dire qu'il y a eu beaucoup de déceptions, d'usines tournant au tiers de leur capacité, de produits inécoulables, de maintenance aléatoire...

Aujourd'hui, les trois grandes familles de pensée (alternative, marxiste et libérale) continuent à débattre, même si, l'expérience aidant, l'idéologie fait place à une plus grande dose d'empirisme.

• *La recherche d'une voie originale* mieux adaptée aux réalités du tiers monde est toujours d'actualité. Gandhi et son rouet, Mao et son haut fourneau de campagne ont cherché des voies nouvelles. Derrière eux, nombre d'intellectuels, partisans de la technologie « intermédiaire », « adaptée », « appropriée » ou « pertinente », restent plus persuadés que jamais que l'on peut écrire pour chaque situation une histoire industrielle spécifique... Ce courant s'intéresse particulièrement aux secteurs de la société et aux espaces qui sont en voie d'exclusion de l'économie mondiale. Pour se prendre en charge, ceux-ci doivent disposer à la fois de techniques économiquement et socialement accessibles (et on sait que seulement 3 % de la recherche mondiale est réalisée dans le tiers monde !) et d'un marché protégé.

Un peu partout dans le tiers monde se développent des activités dites *informelles*, représentant toute une gamme de petits métiers, d'activités de service et de production. Le quartier Nylon à Douala et tout autre à Abidjan, Bogota, Bangkok ou Manille constituent des tissus interstitiels qui complètent les économies « formelles ». Ce secteur de survie, dont le développement est favorisé par les situations de crise, est pour certains observateurs la preuve de la permanence d'une créativité populaire et même l'amorce d'un tissu duquel pourraient émerger de nouvelles économies industrielles. Certains tenants de cette école de pensée regardent également du côté des nouvelles technologies, notamment de la micro-informatique et des télécommunications, qui remodèleront les modes de production industriels et notamment permettront de miniaturiser et de disséminer les unités de production et, peut-être, de redistribuer l'emploi. Mais peut-on imaginer que les « marginaux » puissent se saisir de ces outils ?

• *La création d'un espace industriel national* reste pour certains pays un objectif majeur. L'Inde de Nehru, l'Algérie de Boumediene et les pays socialistes ont ouvert la voie. La création d'« industries industrialisantes », notamment d'une industrie lourde, est la condition première de la souveraineté industrielle recherchée. Les résultats furent meilleurs en Inde, puissance continentale, qu'en Algérie, où l'étroitesse du marché national posa vite problème. Mais presque partout on a fait depuis marche arrière sur le volontarisme et l'étatisme en matière industrielle, et fait plus de place au marché pour orienter les choix économiques. On cherche aujourd'hui à favoriser l'émergence d'une véritable génération d'entrepreneurs. On continue en revanche de considérer la création d'un espace économique protégé comme nécessaire à la naissance d'une industrie nationale. La Chine et l'Inde ont montré la voie. Le Brésil a décidé en 1985 de créer des « réserves de marché », notamment dans le domaine de l'informatique. Cette politique a fait long feu sous la pression internationale.

• *L'alliance avec les entreprises multinationales* est pour beaucoup la seule voie possible. Dans cette perspective libérale, les pays en voie de développement sont censés s'industrialiser davantage à partir de l'exportation qu'en s'appuyant sur des marchés intérieurs faibles et anémiés. Pour ce faire, ils devront tirer parti de leurs meilleures cartes : le faible coût de la main-d'œuvre, une législation permissive et une fiscalité dérisoire. Ils devront aussi passer alliance avec les maîtres internationaux de l'industrie, de la technologie, du commerce et de la finance. Tel est le modèle soutenu par les puissances économiques centrales et par les organisations chargées de la régulation de l'ordre économique international (Fonds monétaire international, Banque mondiale). C'est en Asie du Sud-Est que se trouvent les meilleurs disciples et les expériences les plus avancées de cette manière de penser l'industrialisation. C'est d'ailleurs dans cette partie du monde que les résultats sont les plus convaincants.

2. Délocalisation et relocalisation de l'industrie mondiale

Si la frontière Nord-Sud n'a guère bougé depuis le XIXᵉ siècle, la frontière centre-périphérie, elle, suit la respiration de l'économie mondiale. En période de forte croissance, le *centre* sollicite les *périphéries*, car il a besoin de plus de main-d'œuvre, de matières premières et de marchés.

La crise retardée

1973 marque pour certains historiens, comme Fernand Braudel, le sommet de l'un des cycles cinquantenaires qu'on appelle les Kondratieff et qui rythment l'histoire économique du monde. Ainsi, et cela peut être mesuré, 1945-1973 est une phase ascendante d'expansion, alors que 1973-2000 serait une phase descendante de rétraction.

Depuis 1945 et particulièrement au cours des années soixante et soixante-dix, l'industrie s'est étendue au-delà du Nord. La forte croissance des pays de l'OCDE les a amenés à chercher ailleurs de nouveaux travailleurs, de nouvelles matières premières, et surtout de nouveaux débouchés à la machine industrielle qui s'est constituée à l'échelle mondiale. Un double mouvement apparaît : le Nord crée quelques pôles industriels dans le Sud, alors que de forts contingents de travailleurs du Sud viennent s'intégrer aux industries du Nord. La croissance de l'économie mondiale bénéficie au Sud. En vingt ans (entre 1950 et 1970), le PNB du tiers monde augmente en moyenne de près de 5 % chaque année et le secteur industriel de plus de 7 %. Mais alors que dans les pays industriels cette période voit les couches populaires s'intégrer par la consommation, et les modes de vie s'homogénéiser, la croissance économique dans le tiers monde s'affirme dès le départ *profondément inégalitaire*. Elle crée des « îlots de modernité », laissant de côté la grande masse de la population des campagnes et des villes.

Au début des années soixante-dix, l'économie mondiale

s'essouffle, l'inflation monte. Pourtant, le tiers monde pris comme un tout garde la même allure. De fait, de 1973 à 1981, les pays en voie de développement obtiennent un sursis grâce à l'économie de rente ou de crédit qui s'instaure. La montée du prix du pétrole de 2 à 13 dollars en 1973, puis de 13 à 30 dollars en 1979 provoque un transfert colossal de moyens financiers du Nord vers le Sud. Les pays pétroliers reçoivent une *rente* (115 milliards de dollars supplémentaires en 1974) qu'ils consomment et investissent en partie (60 milliards), donnent (5 milliards d'aide) et recyclent dans les circuits financiers internationaux (50 milliards). Les liquidités internationales sont abondantes. Les pays du tiers monde en voie d'industrialisation empruntent, sûrs d'un avenir que tout le monde leur reconnaît. Ils ont de bonnes cartes en main (main-d'œuvre bon marché et docile, ressources et marchés intérieurs). Au jeu de l'échange libre, ils vont pouvoir prendre des parts sur le marché mondial.

En 1981, arrive l'heure de vérité. Elle se manifeste par un brutal revirement de la politique monétaire américaine ; au laxisme financier succède brusquement l'austérité. Le dollar et les taux d'intérêt grimpent en flèche. Les États-Unis ont besoin d'attirer des capitaux pour financer un déficit budgétaire qui va grandissant et la modernisation d'une industrie qui perd sa compétitivité. L'économie mondiale se rétracte. Les taux de croissance de la production mondiale fléchissent (2 % en 1980, 1,6 % en 1981 et 0,6 % en 1982). Ils se redressent légèrement les années suivantes (3,3 % en 1985). En 1982, le volume du commerce mondial baisse de 2,3 %.

De très nombreux pays du tiers monde se retrouvent endettés et insolvables. Face à un marché mondial qui régresse et qui se ferme, ils sont dans l'impossibilité de rentabiliser les investissements réalisés et de récupérer par l'exportation les devises nécessaires au remboursement des emprunts. La fragilité du processus de croissance mis en place dans les pays du tiers monde apparaît alors au grand jour. On les avait poussés à s'endetter, on les contraint, maintenant, à rembourser une dette dont la valeur a considérablement augmenté du simple fait de la montée des taux d'intérêt et du dollar. Dans le même temps, les cours des principaux produits tropicaux s'effondrent (moins 30 % entre 1980 et 1982), et des barrières protectionnistes se dressent. Les exportations du tiers monde chutent de 12,3 % en 1982 et de 6,3 % en 1983, les importations de 7 % en 1982. Le FMI durcit ses positions. Le choc est particulièrement brutal dans les pays d'Amérique latine, où le pari du marché mondial avait été engagé sans retenue. Il est plus atténué en Asie du Sud-Est, où un effort important avait été consenti pour constituer des marchés nationaux de biens industriels. La légère reprise des années 1984 et 1985 va permettre au tiers monde de stabiliser sa situation, sans cesser d'accroître son endettement. En 1986, les États-Unis, cédant enfin à la pression des Occidentaux et pensant à la compétitivité de leur industrie et de leur agriculture, laissent le dollar et les taux d'intérêt fléchir. Pour le tiers monde, c'est *a priori* un mieux sur le plan financier, mais un pire sur le plan commercial.

Une violente restructuration de l'économie mondiale

La restructuration de l'industrie mondiale s'opère sous la triple influence des nouvelles technologies, d'un surcroît de protectionnisme décidé au Nord et d'un surcroît de libéralisme imposé au Sud.

• Les nouvelles technologies, essentiellement informatiques, se développent au Nord, permettant une plus forte automatisation, qui annule en partie l'avantage « main-d'œuvre bon marché » du tiers monde, mais les télécommunications ont tendance à abolir les distances et à favoriser les délocalisations.

• Les capitaux ont rompu leurs amarres territoriales et sociales, ils circulent sans entrave nationale au gré des taux d'intérêt et de la rentabilité des investissements et des placements.

• Le protectionnisme gagne du terrain au Nord ; préférence européenne, il est vrai battue en brèche, accords d'autolimitation imposés par les Américains à leurs principaux partenaires, notamment d'Asie du Sud-Est, décision protectionniste américaine concernant la sidérurgie ou le sucre, accord multifibre (AMF) protégeant les pays du Nord d'une concurrence libre dans le domaine du textile.

• Le libéralisme s'impose au Sud. Les politiques de réajustement structurel imposées par le FMI contribuent à ouvrir les économies du Sud. Les taux de change des monnaies sont réajustés, les capitaux et les marchandises circulent plus facilement.

A ce jeu, le tiers monde devrait être perdant à tous coups. Les plus forts imposent la règle d'or du « bien jouer » commercial : savoir être libre-échangiste avec plus faibles que soi et pouvoir être protectionniste avec les plus forts.

Néanmoins, la confrontation qui oppose pouvoirs d'État et pouvoirs financiers a été, ces dernières années, largement dominée par les banquiers. Les cartes se redistribuent progressivement : la déréglementation radicale qui s'opère dans les NPI attire les investissements qui ne trouvent pas toujours une si forte rentabilité dans les trois grands ensembles géo-économiques américain, japonais et européen.

De fait, ces pays qui, pour la plupart d'entre eux, ont procédé dans la douleur à un ajustement structurel, résistent mieux que d'autres aux à-coups de la croissance mondiale. Après l'embellie de la fin des années quatre-vingt, la baisse de régime, pour ne pas dire la récession, des années 1990, 1991 et 1992 a plus gravement touché le Nord (2,3 % en 1990, 0,8 % en 1991) que le Sud (respectivement 3,4 % et 3,5 %). L'économie mondiale est entrée en récession en 1992 (− 0,4 %) à cause de l'effondrement des pays de l'Est (− 16,8 %), les résultats les meilleurs étant ceux des NPI d'Asie et ceux de la Chine, mais aussi, fait nouveau, ceux de quelques grands pays d'Amérique latine.

3. La nouvelle géographie industrielle du tiers monde

Au milieu des années quatre-vingt, la production industrielle du tiers monde représente donc 10 % de la production industrielle mondiale. Mais 80 % du capital et de la production industrielle du tiers monde proviennent seulement d'une douzaine de pays, les « nouveaux pays industrialisés » (NPI). La centaine d'autres pays du tiers monde ne représente donc que 2 % de l'industrie mondiale. Là encore, dressons une classification.

Une douzaine de pays du tiers monde, les NPI, ont engagé des processus d'industrialisation.

Certains se sont appuyés sur un large marché intérieur. Ils ont cherché à mobiliser des financements et des facteurs de production locaux, mais n'ont pas hésité à importer de la technologie. Cette catégorie se limite en fait à la Chine et à l'Inde, qui sont les rares pays où coexiste une gamme assez complète d'industries nationales couvrant à la fois l'artisanat, les PMI et les grandes entreprises.

D'autres ont cherché à jouer le double jeu du marché intérieur et du marché mondial. C'est le cas du Brésil, du Mexique, de la Corée du Sud et de l'Indonésie. Les résultats industriels sont inégaux : excellents pour la Corée, médiocres pour le Mexique ; en revanche, le bilan financier est mauvais. Cette catégorie est celle des poids lourds de la dette.

Enfin, une troisième catégorie de pays sans véritable marché intérieur a joué à fond l'exportation et l'alliance avec le capital international. C'est le cas de Singapour, de Hong Kong et de Taiwan. Pour ces pays adossés au monde chinois, le moteur est d'abord financier ; l'industrie s'est développée du fait des facilités offertes aux entreprises multinationales.

Les autres pays du tiers monde essayent tous de s'industrialiser... mais les flux de capitaux qui y concourent et la production industrielle qui en résulte sont beaucoup plus faibles.

Pour s'insérer dans l'économie mondiale, les pays créent des zones franches et tentent de valoriser leur main-d'œuvre bon marché (dix à vingt fois moins chère qu'en Europe ou aux États-Unis). Les *sweat shops* (ateliers à sueur) se multiplient ; on en compte six mille en Thaïlande. Les conditions de production rappellent les plus noirs récits de Dickens ; un million d'enfants philippins sont économiquement actifs ; l'existence de vols ou d'achats d'enfants dans le nord de la Thaïlande n'est pas douteuse. Haïti accueille des dizaines de petites entreprises qui, aux portes du marché américain, exploitent une main-d'œuvre courageuse et peu revendicatrice.

Les industries du tiers monde qui, comme en Algérie, se sont construites à grand renfort de rente pétrolière et de volontarisme politique ne représentent pas grand-chose. En tout cas, rien de très durable. Les projets industriels épars des pays africains ou des pays les plus pauvres n'ont pratiquement aucun poids.

Au sortir de trente années de croissance rapide et de dix années d'espoir, le tour d'horizon des processus d'industrialisation du tiers monde met en évidence deux faits.

Tout le monde ne peut jouer gagnant sur le marché mondial, surtout lorsque celui-ci vient à faiblir. N'importe quel pays ne sera pas élu par les puissances financières et industrielles qui le dominent ; la réussite de Singapour ne montre aucune voie au Mali !

Pour exister, l'industrie a besoin d'un espace économique suffisamment vaste, comme c'est le cas en Inde, en Chine ou au Brésil. Peu de pays sont à l'échelle, seuls des « marchés communs » peuvent y pallier.

VI / La crise du financement

Pour affronter les défis du sous-développement et pour renforcer leur base économique, les pays du tiers monde ont besoin de capitaux. Peut-on essayer d'apprécier le potentiel de reprise ou d'effritement des pays du tiers monde ? Comment et par qui l'investissement est-il financé ? Où en sont aujourd'hui les tissus économiques nationaux, les infrastructures, les unités de production agricoles et industrielles ? Là est sans doute l'aspect le plus inquiétant du bilan général du développement et du sous-développement que nous tentons d'établir. Même s'ils restent secondaires par rapport aux flux Nord-Nord, les flux Sud-Nord dominent les flux Nord-Sud, tant sont puissants les mécanismes de concentration des capitaux à l'échelle mondiale. Après la mise au pas de l'« économie de crédit international », les taux d'investissement ont baissé et les capacités d'autofinancement se sont trouvées affaiblies par la ponction des États et du système financier international. Mais là encore, la diversité de situations est considérable.

1. La ponction internationale

La résultante des évolutions des flux financiers liés à l'échange des produits, aux mouvements inverses des prêts et des remboursements, des investissements privés et des rapatriements de bénéfices, de l'aide publique et privée au développement et des rapatriements divers de capitaux, notamment ceux qui sont liés à l'émigration (coopérants ou émigrés), détermine le sens du courant dans lequel s'effectue le transfert financier Nord-Sud. Le solde indique si le tiers monde peut compter sur des ressources financières externes pour soutenir son développement ou si, au contraire, il doit prélever sur ses richesses pour satisfaire à ses obligations internationales.

Là encore, la parenthèse 1973-1981 est pour le tiers monde celle des illusions. La période 1981-1986 remet les choses en place, mais le passif est lourd pour ceux qui ont tenté l'ouverture avec le plus d'audace : en 1992, la dette du tiers monde est de 1 473 milliards de dollars, et le seul « service » de cette dette (remboursement annuel d'une part du capital et des intérêts) s'établit à 186 milliards de dollars.

Commerce : la dégradation continuelle des termes de l'échange

Il faut toujours davantage de sacs de coton pour acheter un tracteur ! Entre 1981 et 1985, le rapport des prix des produits exportés et des produits importés s'érode pour les pays en développement (– 3 %). L'évolution est inverse pour les pays industriels (+ 3 %). Les PVD auraient bénéficié en 1982 de 50 milliards de dollars de recettes supplémentaires, si l'année 1982 avait connu une structure de prix comparable à celle de 1979. La ponction a été particulièrement forte pour les plus démunis qui, sur 42 milliards d'exportations et 56 d'importations, ont perdu dans l'échange près de 10 milliards, du seul fait des évolutions de prix. A la fin 1987, les prix réels des produits de base (33 produits de référence) étaient inférieurs d'environ 32 % aux prix moyens de la période 1980-1984.

L'« effet dollar » a eu des conséquences considérables : en 1985, la dette a crû de 88 milliards de dollars alors qu'il n'y eut que 33 milliards de nouveaux emprunts ; le solde, 55 milliards, correspond à une réévaluation des encours, liée à l'évolution des taux de change. L'évolution des taux de change ou des prix des produits, qui traduisent davantage l'état du rapport des forces et des capacités de négociation sur les marchés et dans les bourses que la variation de la « qualité » des productions, a un rôle déterminant dans les résultats obtenus par les économies nationales.

Seuls les pays de l'OPEP ont réussi temporairement à inverser la tendance : un « coup » de taille, il est vrai, puisque 115 milliards de dollars ont changé de camp en 1974, du fait de la montée des prix du pétrole. Mais les rapports de forces ont changé, ce coup-là a fait long feu.

Crédit : l'heure des remboursements

L'endettement des PVD atteint des proportions alarmantes. L'encours total de 1 281 milliards de dollars à la fin de 1990 représente près de 40 % des PNB et 171 % des exportations annuelles. Le ratio dette/PNB s'élève à 46 % pour le groupe des pays très endettés, et à 109 % pour les pays africains à faible revenu. Ces chiffres dépassent, et de très loin, ce que le secteur bancaire privé — qui est créditeur de 55 % de la dette — pourrait absorber en cas de crise financière. Mais l'inquiétude a d'ailleurs pour cause principale moins le montant total de la dette, qui ne représente que 7 % des dettes privées ou publiques mondiales (ou la moitié de ce que doit le Trésor américain), que l'insolvabilité des États et l'impossibilité pratique de les mettre « en faillite ». Au XIXᵉ siècle, l'endettement des États-Unis (jusqu'à 300 % de leurs exportations) traduisait un pari sur l'avenir et correspondait à un investissement dont on a pu voir la rentabilité. Pour se mettre à l'abri, les banques ont fortement provisionné leur bilan ; elles ont cédé une partie de leurs créances sur le marché secondaire ou les ont converties.

Aujourd'hui, la dette du tiers monde traduit un déséquilibre structurel aigu. De l'ordre de 7 milliards de dollars en 1970, les emprunts du Sud se sont élevés à plus de 70 milliards en 1982, 34 milliards en 1984 et encore 33 milliards en 1985. Le transfert net de ressources, c'est-à-dire la différence entre les emprunts et les remboursements des intérêts et du principal, devient négatif en 1984. Le transfert Sud-Nord atteint 45 milliards de dollars en 1986, puis 38 milliards en 1987. Mais alors qu'en 1975-1976, près de 70 % des emprunts finançaient l'investissement, en 1980, 80 % des emprunts étaient orientés vers l'achat de biens de consommation de première nécessité ou de biens intermédiaires, vers les dépenses de fonctionnement de l'État et de plus en plus vers le remboursement des dettes antérieures.

Le plus inquiétant pour le système bancaire mondial est qu'un nombre croissant de pays se trouvent dans l'impossibilité de payer même les *intérêts* de leur dette (tant que les intérêts sont payés, le créancier peut continuer à considérer que le principal qu'il a prêté fait toujours partie de son patrimoine ; mais si les intérêts ne sont plus payés, il sera contraint d'annuler la créance). Depuis le sauvetage financier du Mexique à la fin de 1982, on a donc assisté à une multiplication des réaménagements multilatéraux qui concernent souvent des centaines de banques. De 1981 à la mi-1986, trente-cinq pays ont bénéficié du traitement, certains plusieurs fois. En 1989, 24 pays sont passés devant le Club de Paris (prêteurs publics) et 6 devant le Club de Londres (prêteurs privés).

Pourtant, le déséquilibre persistant des déficits budgétaires des États du tiers monde (29 milliards en 1978, 82 milliards en 1981, 46 milliards en 1983), le besoin de rembourser la dette antérieure (130 milliards en 1988) et la nécessité de relancer la croissance nécessitent toujours davantage de capitaux. Le FMI et les gouvernements du Nord s'emploient à inciter les banques à prêter toujours davantage en promettant de contribuer par des politiques d'ajustement structurel à la mise en place d'économies à excédents commerciaux durables, seules capables de permettre un remboursement des dettes.

Apports privés : l'effondrement

Entre 1973 et 1981, les entreprises et les banques ont cru au tiers monde, ou tout du moins à un certain tiers monde. La mode aujourd'hui est passée. L'heure n'est plus à la « délocalisation » des activités industrielles vers le Sud, mais plutôt à leur relocalisation au Nord ; les nouvelles technologies renforcent la compétitivité des pays développés, d'autant que, crise et chômage aidant, les gouvernements des pays industrialisés multiplient les initiatives pour attirer les capitaux internationaux. Les zones franches, les régimes fiscaux, les codes d'investissement très favorables qui se mettent en place dans le tiers monde semblent globalement sans effet sur le mouvement de reflux. Les investissements sont tombés à 6,6 milliards de dollars en 1985, contre 17,2 en 1981, puis ils remontent à 22 milliards en 1989 ; mais c'est surtout l'apport du secteur bancaire qui s'effondre (50 milliards en 1980 et 1981 contre 15 milliards en 1985 et 8 milliards en 1989). En fait, cette décrue touche principalement l'Amérique latine, notamment les « poids lourds » de la dette, qui ont perdu leur crédibilité financière : Argentine (49 milliards de dollars en 1986), Brésil (111 milliards), Chili (21 milliards), Mexique (102 milliards) et Venezuela (34 milliards). Une fois de plus, la Chine et l'Inde vont à contresens, puisque les apports privés ont quadruplé entre 1980 et 1986. Ils progressent en Asie entre 1981 et 1983, puis fléchissent en 1983 et 1984.

Aide publique au développement : le plafonnement

Malgré les conférences mondiales, les « décennies du développement » et les déclarations tapageuses des pays riches (notamment sur l'objectif de lui consacrer 0,7 % du PNB), l'aide publique au développement (APD) des pays de l'OCDE ne décolle pas depuis 1970 des 0,35 % du PNB. De 1984 à 1990, on assiste donc à la lente montée de l'APD, de 25,5 à 49 milliards de dollars. Pour l'aide accordée par les pays pétroliers de l'OPEP, les chiffres suivent plus ou moins les cours du pétrole : 6,2 milliards en 1975, 1,5 en 1989 et 6,3 en 1990.

La ventilation géographique de l'APD est bien sûr très dissymétrique. Les pays à faible revenu reçoivent 60 % de l'APD. Un effort particulier a été engagé pour les « pays les moins avancés » (PMA) depuis la Conférence des Nations unies (Paris) qui leur fut consacrée en 1981, effort relancé à Paris en septembre 1990, lors de la deuxième Conférence des Nations unies sur le sujet. C'est l'Afrique qui a bénéficié le plus de cette évolution.

On peut noter également que l'APD, qui se consacrait essentiellement à l'investissement, participe maintenant davantage aux dépenses courantes (aide budgétaire en espèces ou en nature *via* l'aide alimentaire) et contribue au remboursement ou au réaménagement de la dette.

On sait aussi qu'une partie importante de l'APD ne quitte pas le Nord ou y revient sous forme de salaires d'experts, de bourses, de marchés d'études ou d'équipements. On estime à 60 % ce taux de retour pour certaines coopérations bilatérales.

Dans la coopération bilatérale (définie dans le cadre d'accords d'État à État), chaque État donateur essaye de favoriser ses intérêts immédiats, notamment commerciaux, en « liant » l'aide. Lorsque le donateur est puissant, comme la France en Afrique, il essayera en plus de privilégier son intérêt national et de s'attacher les pays partenaires en leur imposant ses normes techniques et sa langue, en connectant aux siens les réseaux de communication de ces pays ou en plaçant ses équipements. Mais les maîtres du jeu sont plus que jamais le Fonds monétaire international et la Banque mondiale, créés en décembre 1945 par les pays développés à Bretton Woods pour faciliter la constitution d'un système économique mondial unifié. Leur confier la responsabilité de l'investissement national, c'est bien clairement leur donner les moyens de renforcer par touches successives cette économie-monde qui spécialise les économies et nie les espaces nationaux.

Aujourd'hui, les coopérations se négocient à deux niveaux ; celui, traditionnel, des projets de développement et celui, plus nouveau, des politiques sectorielles :

• L'unité de discussion et de financement entre un pays récipiendaire et un pays donateur reste le plus souvent le « projet de développement ». Produits de la « culture coopération », les « projets » découpent le tiers monde en petits morceaux d'espaces et de temps où ils déploient leurs artifices : les experts, les équipements, les méthodes, les technologies sont transférés du Nord vers le Sud, le plus souvent sans prendre la moindre précaution d'adaptation aux réalités locales, c'est-à-dire aux systèmes sociaux et productifs et à leurs trajectoires historiques. Rares sont les projets que les populations ou les administrations locales ont pu s'approprier. Le tiers monde croule d'institutions, initialement structures de projet, qui se pérennisent. C'est le cas notamment des structures d'encadrement au développement rural, qui entretiennent souvent des armées de petits cadres incompétents et font écran aux dynamismes populaires. En fait, les financements des coopérations sont aléatoires, les priorités suivent les modes et les intérêts propres à chaque donateur. Les plans ne sont souvent que des vitrines de projets alléchants que l'on présente aux bienfaiteurs.

Conscients qu'il est impossible de redresser la barre au niveau des projets-enclaves, les plus puissants donateurs essayent de remonter du « micro » au « macro », du projet à la politique sectorielle. En Afrique, la France exerce ainsi une influence macro-économique considérable dans les pays de son « pré-carré », grâce au grand nombre de ses assistants techniques. La Communauté européenne essaie d'appuyer des stratégies alimentaires nationales. Et dans tout le tiers monde, le Fonds monétaire international, avec sa politique de réajustement structurel, et la Banque mondiale, avec ses politiques sectorielles, tentent d'imposer leur logique libérale. Certains États sont ainsi soumis à deux, trois, quatre tuteurs qui prétendent imposer chacun leurs conditionnalités. A vrai dire, il n'y a pas en la matière d'alternative à la souveraineté nationale. Certains pays, qui ont pu et su rester plus souverains de leurs choix, montrent la voie : la Chine, bien sûr, mais aussi l'Inde.

Aide caritative : une « rente » désormais substantielle

Dans cet ensemble, l'aide caritative, celle des associations de solidarité, est loin d'être négligeable : 4,2 milliards de dollars en 1988 (soit 10 % de l'APD). Encore ce chiffre est-il sans doute très sous-estimé, si l'on en juge par le cas de l'aide privée française : annoncée dans les statistiques de l'OCDE (1984) pour 300 millions de francs, elle atteindrait en fait, d'après une enquête commune du ministère de la Coopération et des Associations, 1 300 millions, soit plus du quadruple.

Les projets soutenus par les ONG (Organisations non gouvernementales) aident en général les acteurs économiques et sociaux, notamment les paysans, à s'organiser. Si les gouvernements montrent de l'intérêt pour la rente privée apportée par les ONG, ils se méfient souvent de ce militantisme qui ne les tient pas en grande estime. Pour certains pays, sahéliens par exemple, les ONG jouent un rôle important, notamment au niveau des petits investissements et des secteurs pauvres du pays et de la société. D'autres associations, issues en général des milieux médicaux, se consacrent à l'aide d'urgence, notamment dans les camps de réfugiés.

Nord-Sud : qui finance qui ?

Ces différents chiffres montrent une fois encore la bizarrerie de la « parenthèse » 1975-1981 dans l'évolution historique des relations Nord-Sud... On est revenu en 1986 à une structure de transfert voisine de celle des années soixante : 60 % de financement public pour 40 % de flux privés. Cette proportion s'était inversée à la fin des années soixante-dix. Le phénomène de « privatisation » des flux n'aura été qu'une anomalie, n'ayant d'ailleurs touché qu'un petit nombre de pays. Mais cet épisode aura coûté cher à l'économie mondiale et aux pays concernés, notamment à ceux d'Amérique latine. A la fin des années quatre-vingt, la dette est gérée presque au jour le jour, l'objectif étant de récupérer au moins le montant du service annuel de la dette. Les banques sont parfois obligées de remettre en jeu des capitaux pour éviter des asphyxies en chaîne, mais elles essayent maintenant de rester dans leur rôle traditionnel ; la période des grands prêts consortiaux semble révolue, au profit de négociations ponctuelles de titres.

La résultante des mouvements de capitaux entre les pays du Nord et ceux du Sud est donc nettement en faveur des premiers.

• *Du Nord vers le Sud* : le transfert financier s'établit en 1985 autour de 80 milliards de dollars (48 de financements publics dont 35 d'APD, 3 d'aide à l'exportation, et 30 de flux privés), à comparer avec les 130 et 140 milliards des années 1980 et 1981. Il faudrait ajouter, il est vrai, près de 25 milliards pour les flux rapatriés par les immigrés.

• *Du Sud vers le Nord* : le service de la dette représente à lui seul 132 milliards de dollars/an, auxquels s'ajoutent les rapatriements de bénéfices, les rapatriements de salaires des émigrés du Nord dans le tiers monde (en général bien payés) et les fuites de capitaux (estimées par le FMI à 10 milliards, ce qui paraît bien faible quand on lève les voiles Marcos ou Duvalier !).

C'est donc plusieurs dizaines de milliards de dollars qui sont nécessaires au tiers monde pour trouver un équilibre financier, et encore s'agit-il d'un équilibre qui néglige l'investissement. Le tiers monde, et notamment les pays les plus endettés, ne trouveront ces sommes que dans des excédents commerciaux et, à ce niveau-là, dans une nouvelle structure du commerce international. Est-ce tenable ? Est-il réaliste de penser que les pays du Nord vont accepter un déficit structurel de leur balance ? Est-il possible d'accroître les excédents du tiers monde sans provoquer la baisse des prix de leurs produits et une accélération de la dégradation des termes de l'échange ? A vrai dire, on ne voit pas sur le terrain économique comment sortir de la crise du financement. C'est sans doute sur d'autres terrains que le problème se posera et, peut-être, se réglera.

2. La faillite des États

L'effondrement et l'inversion du transfert Nord-Sud place les États du tiers monde devant des difficultés nouvelles. Garants des engagements internationaux, supports de l'administration, responsables de l'investissement national, les États ont-ils les moyens de remplir leurs missions ?

L'infini des besoins

Face à une forte diminution de ses moyens, si le pays est soumis au « traitement FMI », ce qui est maintenant le régime commun, l'État se trouve démuni devant l'immensité des besoins : les enfants et les adultes à instruire, à soigner, à nourrir, l'ordre à maintenir, la défense à assurer, le pays à construire et à équiper... On privilégiera en général ce qui est indispensable à la survie de l'État et du pouvoir : la solde des militaires et des policiers d'abord, le salaire des fonctionnaires ensuite, puis les moyens de fonctionnement, les budgets sociaux liés aux besoins essentiels, enfin l'amortissement et l'investissement ; bref, la survie avant le développement.

La compression de la masse salariale est souvent envisagée : retour au champ *via* les fermes d'État au Mozambique, transfert vers les collectivités locales de certains services publics pour l'éducation, la santé, les routes, les constructions. L'évanouissement des budgets de fonctionnement paralyse les services publics : pénuries permanentes de papier ou de crayons, coupures du téléphone ou de l'électricité, ruptures de stocks... Les budgets sociaux sont réduits jusqu'à la limite du seuil de tolérance sociale — et donc politique — de la population, au risque d'explosions foudroyantes. L'arrêt des subventions accordées aux biens de première nécessité, notamment au blé, a provoqué dans certaines périphéries urbaines de véritables émeutes de la faim qui pourraient se conjuguer avec la colère des militaires, des policiers et des fonctionnaires impayés. Il faut donc à tout prix éviter un tel risque.

Quant à l'investissement, il n'en est souvent même plus question ; l'investissement, c'est-à-dire la maintenance, le renouvellement et *a fortiori* l'extension de l'infrastructure, tend à disparaître purement et simplement des budgets de nombreux pays, particulièrement en Afrique.

La stabilité des recettes

Entre 1972 et 1983, dans les pays à faible revenu, les recettes ordinaires de l'administration ont légèrement régressé de 14 à 13 % du PNB ; elles ont en revanche fortement progressé dans les pays intermédiaires, représentant 18 %, puis 24 % du PNB et dans les pays développés, 23 % puis 27 %. La structure de ces recettes a évolué : la part des impôts sur le revenu, sur les bénéfices et sur les plus-values n'est guère modifiée, celle des taxes intérieures sur les biens et services progresse dans les pays pauvres ; en revanche, la part des taxes sur les échanges et transactions internationaux régresse.

Ce dernier poste montre d'ailleurs surtout l'évolution des régimes fiscaux qui limitent l'imposition des entreprises étrangères ; il indique aussi la difficulté de prélever des taxes importantes sur les exportations, eu égard au niveau des prix mondiaux. Dans les années soixante, la Caisse de stabilisation du café et du cacao de Côte-d'Ivoire pouvait alimenter le budget général et faire de très considérables opérations immobilières. Cette époque est révolue. Le modèle fiscal africain (impôts *per capita* et taxes sur les produits exportés) pénalise doublement l'agriculture, qui devient le support financier principal des administrations et empêche la montée de la capacité d'épargne du monde rural. Les fiscalités atteignent des prélèvements qui sont déjà à la limite du supportable pour les économies nationales.

Et pourtant, on est loin du compte, les déficits budgétaires restent élevés. Cumulés, ils s'établissent pour l'ensemble du tiers monde à 46 milliards de dollars en 1983 contre 82 en 1981 et 29 en 1978.

Les thérapeutes du FMI, forts du pouvoir que leur confère la dette, prescrivent un surcroît de rigueur au traitement : seule une réduction supplémentaire des dépenses publiques, c'est-à-dire un abandon du peu de soutien apporté aux masses rurales et péri-urbaines souvent misérables (il y a déjà 1 million de chômeurs à Mexico, 750 000 à São Paulo), une exclusion de l'appareil d'État de quantités de fonctionnaires, peut permettre de réduire ce déficit, sinon de rembourser la dette.

3. L'asphyxie des systèmes de production

Dans le tiers monde, l'environnement économique n'est guère favorable au développement des unités de production.

*Les exploitations agricoles soumises
au « ciseau » des prix*

Les agriculteurs subissent de plein fouet les évolutions divergentes des prix des produits et des facteurs de production. Tous les États du Nord protègent leur agriculture et subventionnent les exportations. Les États du Sud, eux, sont condamnés à taxer les exportations et à laisser les agriculteurs affronter une concurrence meurtrière.

Pour le secteur vivrier, la concurrence — déjà difficile à supporter pour un paysan africain (produisant environ une tonne de grain par an) qui fait face à un agriculteur européen (30 tonnes par an) et *a fortiori* à un américain (130 tonnes par an) — devient insoutenable face aux pratiques de *dumping* et, plus encore, face à l'aide alimentaire ! Résultat : ce sont les agricultures du Nord qui alimentent en céréales les villes du tiers monde et s'emparent des quelques marchés solvables. En revanche, pour les productions périssables, maraîchères principalement, la concurrence étrangère est moins sensible. Ces villes s'entourent de ceintures vertes.

Pour les cultures tropicales commercialisées sur le marché mondial, les prix sont définis de manière spéculative dans des bourses de produits (comme celle de Chicago pour le soja, ou de Londres pour les cultures tropicales). Après une montée violente entre 1972 et 1976, les prix du café et du cacao, entre 1976 et 1981, ont chuté respectivement de 230 à 120 et de 170 à 80 cents par livre. Malgré la surproduction et l'effondrement des prix, les projets de développement des cultures tropicales continuent à se multiplier.

D'un autre côté, les coûts de production ont augmenté rapidement au cours des années soixante-dix : les prix des engrais azotés, pivots de la fertilisation, comme ceux des pesticides, de la mécanisation (pompage, traction), sont liés au coût de l'énergie.

L'effet de ciseau provoqué par la hausse des prix des intrants et la chute relative des cours des productions agricoles asphyxie les agricultures du tiers monde ; il provoque une crise agraire qui interdit au monde rural d'investir et à l'agriculture de se développer sainement. Seuls peuvent s'en sortir les systèmes de production qui se rapprochent des modèles dominant le marché mondial, c'est-à-dire du système céréalier américain ou du système laitier hollandais... Ce n'est guère le cas que de certaines grandes exploitations brésiliennes ou argentines.

Les unités industrielles asphyxiées par la montée du taux d'intérêt du capital

Écologie en moins, ce raisonnement est équivalent pour les systèmes productifs industriels. Plus intégré à l'économie, l'entrepreneur est souvent pris dans des rigidités encore plus fortes ; côté dépenses, il ne peut discuter ni le montant de ses impôts, ni le taux d'intérêt du capital emprunté, ni le prix de ses facteurs de production, souvent importés ; côté recettes, il est soumis aux possibilités du marché et aux prix, eux aussi souvent fixés ailleurs. Seuls la masse salariale, l'amortissement et l'investissement constituent à très court terme des éléments de souplesse. En fait, les salaires sont en général déjà tellement bas qu'il est difficile de jouer beaucoup de ce côté. C'est une fois encore l'investissement qui pâtira des mauvaises conjonctures.

Comme nous l'avons vu, après avoir connu une période d'épanouissement au moins dans certains pays, les industries sont dans le tiers monde en situation difficile depuis le début des années quatre-vingt. Les entreprises qui n'ont pas pu rémunérer le capital à 15 % ont été mises en faillite.

Même les entreprises multinationales ont connu des difficultés au plus fort de la crise : le bénéfice cumulé des cinq cents plus grands groupes mondiaux a baissé de 39 % en 1982 ; c'est dire le ménage très approfondi qui a eu lieu. En période de restructuration, ce sont les banquiers publics ou privés plus que les industriels qui conduisent la manœuvre. La fixation du taux d'intérêt du capital place la barre plus ou moins haut.

VII / Les acteurs du changement

Développement et sous-développement font partie de l'ordre économique mondial. L'ordre sous-développé est un état que des forces internes et externes au tiers monde stabilisent. C'est un ordre qui s'accommode de la marginalisation de centaines de millions de personnes, et de la constitution de grandes poches de misère, véritables charges explosives qui s'accumulent un peu partout dans le tiers monde. Mais cet ordre est contesté de l'intérieur. Ce sont ces idées contestatrices et ces hommes perturbateurs de l'ordre sous-développé qui nous intéressent maintenant.

1. La quête de nouvelles identités culturelles

Le contact entre deux sociétés est d'abord un contact culturel et c'est sur ce terrain que s'établissent les hiérarchies. C'est là que se produit la dernière défaite avant la soumission, mais aussi la première victoire après le sursaut.

Le transnational contre le vernaculaire

L'intégration culturelle du monde va de pair avec son intégration économique. Mais elle n'est pas le produit d'une circulation équilibrée d'informations, d'idées, de représentations, de valeurs. Le système fonctionne le plus souvent à sens unique, dans le domaine culturel comme dans les autres. Évoquons quelques faits.

• *Les modes de vie* se diffusent avec les produits : le jean et le Coca-Cola ne sont pas seulement des biens de consommation, ils transmettent l'*american way of life*. Les habitudes, les produits, les règles de vie traditionnelles sont dévalorisés, ainsi en Afrique, où le pagne, le mil, le lait maternel, la case, toutes choses produites de façon autonome, cèdent la place au costume, au blé, au lait Nestlé, au béton.

• Dans les pays du tiers monde, *les langues* de la colonisation se sont largement imposées : espagnol et portugais dans toute l'Amérique du Sud, anglais et français dans une bonne partie de l'Afrique et du monde arabe, anglais encore dans de nombreux pays d'Asie. Comment d'ailleurs éviter la « langue arbitre » lorsque plusieurs dizaines de langues sont parlées sur le territoire d'un État, comme au Gabon, ou comme en Inde, où les équilibres entre peuples sont subtils et précaires ? L'anglais, langue des discussions internationales, de la navigation aérienne, du commerce..., est aujourd'hui en passe de devenir la deuxième langue universelle pour les non-anglophones.

• 97 % de *la recherche scientifique mondiale* est menée par les pays du Nord (et la moitié de ce total concerne les armes). Alors comment comprendre sa propre réalité et la manière dont elle évolue, comment identifier correctement ses problèmes écologiques, économiques, technologiques, comment innover et mettre au point des techniques appropriées si la recherche est menée, en d'autres lieux, pour répondre à d'autres questions ? Que peut-on transmettre comme savoir dans les universités et les écoles sinon des recettes mises au point ailleurs et transférées sans précautions ?

• De 30 à 70 % des *émissions de télévision* diffusées dans les pays du tiers monde sont importées d'un pays développé, en général des États-Unis. Même chose pour le cinéma, les disques, les livres, la publicité... : sur les marchés du tiers monde, les *produits culturels* déjà rentabilisés sont bradés à vil prix, entravant par là même l'émergence d'une production nationale (chaque épisode de la série télévisée américaine *Dallas* vendu aux Anglais 210 000 F est bradé pour 5 000 F aux Algériens).

Il existe, bien sûr, des contre-exemples à ce mouvement général. Le cinéma indien est particulièrement vivant et original ; avec, d'un côté, une production « difficile » valorisée en Occident (*Le Salon de musique* de Satyajit Ray, par exemple) et, de l'autre, une adaptation indienne des recettes classiques du cinéma populaire : aventures, héroïsme, amour... L'Afrique a produit quelques très grands films. Des réalisateurs brésiliens ont créé le *cinema novo*, et d'autres sont passés maîtres dans l'art du feuilleton télévisé, les *novelas*. Les musiques jamaïquaine et africaine ont pris la tête des hit-parades dans les pays du Nord. Mais ces succès restent limités et c'est le plus souvent à New York, à Paris ou à Londres que les produits culturels s'élaborent et c'est de ces centres qu'ils se diffusent.

• Enfin, 65 % des *informations* mondiales proviennent des États-Unis. Le marché de l'information est quasi monopolisé par quatre agences de presse : Associated Press, United Press International, Reuter et France-Presse (deux américaines, une anglaise, une française). Presque toutes les radios, les télévisions et les journaux du monde y sont abonnés. Avec la multiplication des satellites de communication, le processus de domination sur l'information des grands groupes et des grands pays va aller s'amplifiant. C'est la prise de conscience de cette évolution qui a conduit certains États du tiers monde à mettre en avant la nécessité de promouvoir un « nouvel ordre mondial de l'information » : une revendication qui a soulevé une levée de boucliers au Nord.

Des itinéraires culturels en quête d'issues

Les peuples du tiers monde ont suivi sur le plan culturel des itinéraires qui, de leurs diversités originelles, les font converger vers la culture euro-américaine. L'acceptation de ce modèle qui sonne le glas des cultures indigènes est nécessaire pour ceux qui veulent s'intégrer à l'univers occidental. Pour les autres, ceux qui ne le veulent pas ou ne le peuvent pas, l'occidentalisation est une illusion. Pour ceux-ci, qui sont la majorité, l'itinéraire culturel doit se poursuivre vers de nouvelles identités culturelles, car il n'est plus possible de faire marche arrière.

• *Première étape : la déculturation douce ou violente.* — L'œuvre civilisatrice repose d'abord sur le mépris du vernaculaire (pour reprendre le mot d'Ivan Illich), c'est-à-dire le mépris successif du barbare, du païen, de l'infidèle, du sauvage, de l'indigène et du sous-développé. Ce mépris est bientôt partagé par le méprisé lui-même, qui souvent admet comme une évidence sa propre infériorité. La nouvelle métropole diffuse sa grammaire et sa culture. Elle fait taire ou dévalorise les langues et les cultures locales. Les écoliers africains, comme avant eux les Alsaciens ou les Bretons, une fois franchie la porte de l'école, avaient interdiction de parler leur langue. Dans certaines régions, la méthode expéditive l'a emporté. En Amérique du Nord et du Sud, un véritable ethnocide s'engagea au XVIe et ne cessa qu'au XIXe siècle. Parfois, les missionnaires, n'arrivant pas à pénétrer la culture locale, ont décidé d'abandonner un peu de leur occidentalisme (comme les jésuites en Chine au XVIIIe et au Paraguay au XVIIe et XVIIIe siècle), mais le Vatican ou les puissances européennes les ont rappelés à l'ordre.

• *Deuxième étape : l'occidentalisation.* — Pour les missionnaires, les administrateurs, les instituteurs, les médecins, il ne s'agissait pas de détruire, mais de civiliser et de donner les moyens aux indigènes de s'intégrer à l'univers occidental. Avec le XXe siècle, le « développement » devient l'axe central du message civilisateur. Ses propagandistes n'ont pas conscience qu'il s'agit en fait d'un pur produit idéologique de la culture occidentale. Pourtant, la greffe culturelle opérée d'en haut prend ; chacun regarde vers le centre d'émission qui le concerne : les universitaires et les scientifiques ont l'œil rivé sur Stockholm ; les autorités religieuses, sur Rome ; les banquiers, les commerçants et les industriels, sur Zurich... Tous, incarnation de la réussite, sont devenus des propagandistes du « développementalisme ». Mais le « développement », après plusieurs décennies de promesses, n'a pas convaincu tout le monde. Nombreux sont les déçus ou les laissés-pour-compte qui sont prêts à rejoindre certaines anciennes élites, notamment religieuses qui, recroquevillées, ont attendu l'heure d'une revanche. Avec les années quatre-vingt, les intégristes ont regagné du terrain dans de nombreuses régions du tiers monde, notamment dans les pays musulmans.

• *Troisième étape : le rejet.* — Sur le terrain culturel, les réactions de rejet se multiplient. L'islam constitue de ce point de vue un terrain favorable, car sa structure d'encadrement presque intacte a peu ou pas pactisé avec le développement. De fait, les mouvements intégristes comme les Frères musulmans s'affirment du Sénégal aux Philippines. Les universités, traditionnellement ouvertes sur l'Occident, sont gagnées par le fondamentalisme. Les Frères musulmans ont fait vaciller le pouvoir en Arabie Saoudite, en Égypte, en Syrie, en Algérie, pays dans lesquels des incidents sanglants ont eu lieu : le coup de force de La Mecque, en 1979 ; l'assassinat d'Anouar el-Sadate, en 1981 ; les affrontements d'Hama (Syrie) en 1982, où les morts, dit-on, se seraient chiffrés par dizaines de milliers ; la montée du Front islamique du salut (FIS) en Algérie, sa victoire électorale en 1991 et la réaction des autorités civiles et militaires. En Iran, les mollahs animent, depuis la chute du chah en 1979, une véritable révolution culturelle dont la radicalité dans un pays jadis ouvert sur l'extérieur se traduit par l'âpreté de la lutte et le nombre des exécutions.

En Amérique latine, le rejet de la culture occidentale prend d'autres formes. La plus exacerbée est sans doute le développement dans l'Altiplano péruvien du mouvement maoïste du Sentier lumineux, depuis le début des années quatre-vingt. Ailleurs, c'est la religion qui est en général le vecteur par lequel s'affirme la volonté d'autonomie culturelle : le

« boom » de l'*Umbanda* au Brésil (syncrétisme de nombreuses traditions religieuses) témoigne de cette évolution. En Afrique noire, le développement des sectes prend aussi des proportions significatives ; les Églises, kimbanguiste au Zaïre, ou harriste en Côte-d'Ivoire, se développent, mais l'évanouissement des anciennes chefferies rend difficile l'émergence d'un mouvement traditionaliste. En Asie, le mouvement des Khmers rouges et la révolution culturelle chinoise manifesteront eux aussi des refus culturels de l'Occident...

Le rejet culturel qui marginalise un peuple n'a guère d'issue. La révolution culturelle chinoise aboutit à Deng Xiao Ping, les Khmers rouges à deux millions de morts et à l'invasion vietnamienne, Khomeyni à la guerre sainte, les sectes à pas grand-chose. De fait, le retour en arrière est impossible, les conditions démographiques, économiques, stratégiques ont évolué. Les nouvelles réalités ne peuvent être ignorées.

Vers des cultures de terroir

Destructurées par le sous-développement, les sociétés du tiers monde sont aujourd'hui confrontées à la nécessité de construire de nouvelles identités culturelles. Celles-ci seront des « cultures du terroir » car, pour l'heure, ce sont encore les sociétés et les économies territoriales qui sont les mieux à même d'entretenir les centaines de millions d'hommes qui n'ont guère d'espoir de s'insérer dans l'économie internationalisée. Elles seront aussi des « cultures du mouvement historique » : les réalités actuelles, celles du sous-développement, doivent être regardées en face pour pouvoir être combattues. Ces ingrédients — revalorisation des racines, respect des réalités actuelles et exigence de la lutte — traversent nombre de mouvements culturels contemporains. Les mouvements authentiquement démocratiques et populaires des différents continents, tout comme les Églises dont la théologie s'est mise à parler de libération, tout comme les intellectuels qui pour la plupart ont abandonné l'ambition de la macro-solution au profit des micro-réponses, participent aujourd'hui à ce travail de dénonciation et de proposition.

2. Les acteurs du renouveau

Ce sont nécessairement les perdants qui ont la tâche historique de bousculer l'ordre établi. Mais avec qui les « laissés-pour-compte » peuvent-ils faire alliance pour devenir des forces de renouveau et de développement ? La « pâte » constituée des centaines de millions de paysans, d'artisans, de chômeurs périurbains, d'exclus errants ne lèvera que si des levains viennent donner forme et force aux dynamismes populaires actuellement éparpillés et largement neutralisés par les « forces de l'ordre ». Seules les forces organisées porteuses — explicitement ou non — d'un projet politique peuvent remplir cette fonction. Et de ce point de vue, même si ces milieux sont partagés de projets contraires, les intellectuels, les Églises et les mouvements populaires ont des rôles historiques à jouer.

Les intellectuels : la fin des certitudes

L'intellectuel du tiers monde doit accomplir une mission difficile, parfois périlleuse, car « chercher à comprendre, c'est déjà commencer à désobéir », dit-on dans l'armée, et désobéir sous certaines latitudes, c'est déjà creuser sa tombe.

Les chercheurs, les universitaires, les étudiants, les artistes, les journalistes, ceux du moins qui n'ont pas choisi le ralliement sans condition au pouvoir dominant, ont souvent contribué à éveiller les consciences et à mettre en route nombre de mouvements sociaux. Dans les luttes anticoloniales, comme en Algérie, ou contre les pouvoirs autoritaires, comme au Nicaragua, les intellectuels ont rejoint en grand nombre les maquis, quand ils ne les ont pas créés. A Ceylan en 1968, comme à Madagascar en 1972, ce sont les étudiants qui ont donné le signal de la révolte. En Éthiopie, en 1974, ce sont eux qui ont abattu l'empereur Haïlé Sélassié et le vieux féodalisme. C'est avec les étudiants que Mao a lancé en 1966 la révolution culturelle et que Khomeyni a abattu le chah en 1979. Les « forces de l'ordre » ne s'y sont pas trompées ; dans les années soixante-dix, l'université autonome de Guatemala City a été décimée par la méthode la plus directe, l'assassinat. Les universités brésilienne, argentine ou chilienne ont largement alimenté l'exil.

Néanmoins, il y a partout comme une gêne d'avoir si généreusement, et souvent si naïvement, soutenu certains des « nouveaux » pouvoirs dont l'équivoque est apparue bien vite. Une gêne aussi, de s'être faits les propagandistes du credo léniniste, et d'avoir proclamé partout le primat du monde ouvrier et la nécessaire liquidation de la paysannerie, du petit commerce et de toutes les strates de la bourgeoisie, la nécessité d'une marche forcée vers l'étatisation et le centralisme démocratique.

La voie autogestionnaire résiste mal à l'épreuve du pouvoir. Faute de pouvoir s'appuyer sur un mouvement social puissant, la dérive léniniste, sinon stalinienne, l'emporte à tout coup ; le DERG (Comité militaire administratif provisoire) l'emporte sur le Messon en Éthiopie, au terme d'un véritable bain de sang, au cours des années 1977-1978. La TANU (l'Union nationale africaine du Tanganyika) noie l'expérience tanzanienne dans la bureaucratie.

L'âge d'or des intellectuels du tiers monde, celui des luttes anticoloniales et du « tiers-mondisme » des années cinquante et soixante, celui de Frantz Fanon, n'a pas survécu longtemps aux indépendances.

Devant l'échec de la révolution par décret ou par kalachnikov, certains intellectuels cherchent maintenant l'inspiration dans les expériences ponctuelles, le plus près possible du terrain et des dynamiques populaires. Le mouvement s'est donné quelques drapeaux : initiatives locales, ONG, technologies appropriées... ; ce mouvement est fort au Sahel, au Brésil ou au Chili. C'est sans doute dans le petit et pauvre Burkina Faso de Thomas Sankara que l'expérience aura été le plus loin, en Afrique du moins. Malheureusement l'assassinat de Sankara a mis un terme à l'expérience. Il faudra bien, après le décapage idéologique et ce détour par le « micro », reposer le problème du pouvoir. Les intellectuels doivent rapidement retrouver sinon des certitudes ou des modèles, du moins un cadre de référence permettant de donner un sens aux milliers d'actions concrètes qui sombrent sans cela dans le pointillisme, et sont condamnées à être

« récupérées » par les structures toujours intactes des partis d'opposition traditionnels.

Les Églises : l'option préférentielle pour les pauvres

Les Églises ont pu être et sont parfois des monuments de conservatisme. Mais dans certaines situations, elles deviennent des ferments de progressisme, comme en témoigne leur participation aux combats pour la démocratie menés au Chili ou au Brésil, en Haïti ou aux Philippines.

Le terrain des Églises chrétiennes est celui de la défense des droits humains. Il est à l'Est comme à l'Ouest, au Sud comme au Nord. Il est de droite sous les régimes de gauche, de gauche sous les régimes de droite.

En Amérique latine, une partie importante de l'Église, forgeant une « théologie de la libération », a pris un virage progressiste au cours des années soixante. L'Église brésilienne et certaines de ses dépendances, comme la Commission pastorale de terre, ont pris des positions courageuses : Dom Helder Camara, évêque de Recife et Olinda, ou Mgr Arns, évêque de São Paulo, ont ainsi traversé vingt ans de dictature militaire sans compromission. A l'autre extrémité de la hiérarchie cléricale, les prêtres animateurs de communautés de base ont été inquiétés. Au Chili, l'Académie d'humanisme chrétien a soutenu des mouvements populaires et accueilli des intellectuels. Certains ecclésiastiques, suivant l'exemple du père Camilo Torres (tué dans la guérilla colombienne en 1966), ont poussé leur engagement jusqu'à la lutte armée. Au Nicaragua, quatre prêtres avaient rang de ministre et la majorité du clergé participait concrètement à la « révolution » dans les communautés chrétiennes. Aux Philippines, après l'assassinat en 1983 du chef de l'opposition, Benigno Aquino, l'archevêque de Manille, Mgr Sin, a pris position contre le régime du président Marcos.

En terre d'islam, la religion représente souvent un foyer de refus de l'ordre occidental. En Iran, c'est autour des mollahs et de leurs mosquées que les oppositions au chah ont pu se cristalliser. Lorsque le totalitarisme impose sa loi et qu'il ne reste plus aucune des libertés fondamentales et aucun des droits humains, l'église ou la mosquée deviennent les foyers d'une ultime résistance contre laquelle les autorités « temporelles » sont mal armées.

En Inde, des mouvements comme celui d'Acharva Vinobeji qui prêcha dans les années cinquante le « don des terres » obtinrent des résultats considérables puisque près de deux millions d'hectares furent ainsi récupérés et redistribués aux pauvres. Le mouvement gandhien reste influent.

La résistance des Églises à l'ordre établi ne constitue pas l'essentiel de leur histoire. Les premières communautés chrétiennes s'opposèrent à l'ordre romain mais, après l'empereur Constantin, l'Église a soutenu un ordre théocratique qui domina l'Occident jusqu'au XVIᵉ siècle. En Iran, les clercs chiites résistèrent à l'ordre dominant avant de donner naissance en 1979 à un ordre théocratique et obscurantiste. Les Églises se dénaturent au contact du pouvoir, alors que le pouvoir s'accommode mal des moralismes et des idéalismes qui souvent génèrent des régimes dictatoriaux.

Les mouvements populaires :
s'organiser pour la lutte

Les mouvements populaires — associations, syndicats, partis — quadrillent les sociétés, au Sud comme au Nord. Dans les situations de misère ou d'oppression, il y a toujours des hommes et des femmes qui refusent l'ordre établi et qui se battent pour le transformer. Ces luttes sont multiples. Bien sûr, ces initiatives sont découragées, marginalisées, asphyxiées ou parfois anéanties par les pouvoirs en place. C'est pourquoi il s'agit de lutte et non de bonnes idées ou d'expertises, car l'affrontement avec les forces sociales dominantes est inévitable.

La crise des États et la crise des modèles de développement ont provoqué ces dernières années l'épanouissement du fait non gouvernemental :

• En Afrique, quantité de groupements sont apparus. Ils cherchent à résoudre collectivement les problèmes de production (champs collectifs au Rwanda), de commercialisation ou d'approvisionnement (coopératives d'éleveurs ou d'agriculteurs au Mali), d'épargne (caisses populaires du Rwanda), de formation (expériences des Maisons familiales rurales au Sénégal et au Togo), ou même de prise en charge des services normalement publics (associations de paysans en Éthiopie qui après la décomposition du féodalisme et avant l'organisation des nouvelles structures d'État ont maintenu l'ordre et rendu la justice). Ils cherchent aussi à dialoguer avec l'extérieur : avec l'administration, d'abord, dont les services restent souvent en ville ; avec les émigrés du village partis en ville ou à l'étranger ; avec les ONG du Nord, qui mobilisent moyens et compétences au bénéfice des associations du Sud.

• En Amérique latine, du fait de la violence des rapports sociaux, le secteur non gouvernemental s'est polarisé et politisé. Les organisations populaires participent à la lutte économique, foncière, sociale et politique : multiplication des associations au Chili pour pallier l'abandon des pouvoirs publics (lancement de micro-potagers dans les quartiers populaires de Santiago, soupes populaires...), renaissance des syndicats au Brésil...

• En Asie, notamment dans le sous-continent indien et en Asie du Sud-Est, on assiste aussi à une explosion d'initiatives, d'associations et de regroupements. En Inde, le cadre démocratique étant établi, l'attention se déplace du terrain strictement politique vers le terrain social, économique ou technique. Les mouvements d'inspiration gandhienne multiplient les initiatives en faveur des « intouchables ».

Le tiers monde fourmille donc d'initiatives populaires, chacune spécifique d'une situation, d'une histoire, d'une géographie. De nombreuses expériences ponctuelles ont montré qu'il était possible de produire et de consommer, d'acheter et de vendre, d'épargner et d'investir autrement. Des alternatives aux modèles dominants existent.

Dans la plupart des pays du tiers monde, le mouvement social représenté par des associations, des organisations professionnelles, des syndicats et des partis est donc aujourd'hui bien vivant, mais ses résultats demeurent modestes, car son poids reste faible face à la puissance des États et, surtout, des grands acteurs de l'intégration économique mondiale (firmes et banques multinationales, institutions politiques et militaires intergouvernementales, etc.). Cette faiblesse, c'est d'abord celle des coordinations locales et internationales entre les luttes ; elles sont pratiquement inexistantes.

Libération, démocratisation, socialisation

La jonction du nationalisme et du socialisme a fait basculer l'ordre colonial, après des luttes de libération parfois longues de dix, vingt, voire trente ans. La victoire nord-vietnamienne sur la première puissance économique et militaire du monde, qui n'avait pourtant pas hésité à envoyer un corps expéditionnaire de 500 000 hommes, montre l'efficacité du marxisme-léninisme. A Cuba et au Nicaragua, le sentiment national et l'aspiration démocratique, faute d'être soutenus par les États-Unis, se sont tournés du côté du socialisme.

Pourtant, ces mouvements, qui paraissaient invincibles jusqu'au milieu des années soixante, ont essuyé depuis lors de nombreux échecs. L'environnement géopolitique et idéologique ne leur est plus aujourd'hui favorable. D'abord, parce que la « citadelle du socialisme » que prétendait être l'Union soviétique n'avait plus la même force ni sur le terrain idéologique, ni sur le terrain diplomatique, ni sur le terrain économique ; Moscou avait perdu beaucoup de son pouvoir de séduction. Ensuite, parce que les pays socialistes du tiers monde n'ont pas répondu aux espoirs de ceux qui avaient soutenu les mouvements de libération nationale. Au Vietnam, enfant chéri du tiers-mondisme, des dizaines de milliers de *boat-people* ont fui le socialisme après la victoire de 1975 : ils sont une critique vivante du régime vietnamien. Au Cambodge, un véritable génocide a été perpétré par les Khmers rouges de 1975 à 1979, au nom d'une conception délirante du socialisme. Dix ans plus tard, la « villagisation » est imposée en Éthiopie par la force.

En Extrême-Orient, où le savoir-faire révolutionnaire est très développé, les dominos ne se sont pas écroulés les uns après les autres comme l'avaient craint les Américains. En Iran, les islamistes, en décimant le parti communiste (Toudeh), ont montré l'opposition fondamentale qui existe entre islam et communisme ; les alliances entre eux ne peuvent être que tactiques, comme en Libye ou en Syrie. Dans l'Afrique révolutionnaire, une fois la décolonisation terminée, la solidarité perdure difficilement entre les villages, le parti et l'armée révolutionnaire. En Amérique latine, au savoir-faire des guérilleros s'oppose désormais un savoir-faire de la lutte antiguérilla. Le premier revers est sans doute l'échec puis la mort, en 1967, d'Ernesto « Che » Guevara, dans le « maquis » bolivien. Le « foquisme », c'est-à-dire l'activation d'innombrables foyers de résistance armée qui devait enflammer et « vietnamiser » l'Amérique latine, a échoué. Le couple nationalisme-socialisme s'est distandu au lendemain des indépendances. La séparation est aujourd'hui consommée, sauf là où des raisons tactiques l'imposent.

Aujourd'hui, les combats pour la souveraineté nationale et pour la démocratisation se mènent de concert. Les mouvements populaires s'y sont investis. En Bolivie, au Pérou, en Argentine, au Brésil, en Uruguay, en Haïti, aux Philippines, les dictatures ont pu être chassées grâce à la conjonction de pressions intérieures et extérieures. De fait, la lutte pour la démocratisation permet de très larges alliances sociales et internationales, comme l'ont montré les processus philippin, haïtien et brésilien. Mais cette pluralité permet-elle de gouverner ? Les mouvements populaires ont-ils une chance de participer à un pouvoir protégé par les États-Unis et par la bourgeoisie locale ? De nouveaux pouvoirs aussi composites permettront-ils d'engager les réformes de structures qui s'imposent pour que dure la démocratie : réforme agraire, réforme fiscale, réformes sociales ?

La simultanéité des luttes pour la souveraineté nationale, pour la démocratisation et pour la révolution sociale et économique a donné aux mouvements des années soixante et soixante-dix le visage de la lutte armée et du socialisme. Les mouvements ont pris des formes plus pacifiques et plus « consensuelles », dans les années quatre-vingt, du fait de la priorité accordée à la seule démocratisation politique. Nous verrons si les réformes de structures peuvent être faites démocratiquement, ou si les anciennes forces — qui n'ont pas été démantelées et qui partagent souvent le nouveau pouvoir — mettront un terme à la démocratisation.

VIII / Sortir du sous-développement : les politiques nationales

L'état de sous-développement n'est pas acceptable, il est en tout cas explosif. Les gouvernants sont donc mis en demeure de favoriser une plus grande production et une plus juste répartition des richesses, pour que chacun puisse manger, se loger, se vêtir, se soigner, s'éduquer. Les économistes ont, bien sûr, l'imagination fertile et de nombreuses « sorties de crise » clés en main à proposer ; mais pour les responsables, la marge de manœuvre est bien étroite.

Les politiques observées peuvent être classées en deux grandes catégories, définies par leur attitude vis-à-vis des modalités de l'échange international et du marché mondial : les unes cherchent à renforcer l'insertion de l'économie nationale dans le marché mondial par la levée des entraves à l'échange extérieur ; les autres cherchent à favoriser le retrait de ce marché et le recentrage économique. Le reste est question de méthode. Dans le premier camp, celui des libre-échangistes, les libéraux pensent qu'il suffit de restaurer la règle du jeu libéral pour que, d'elle-même, l'économie reprenne, alors que les keynésiens estiment nécessaire d'« intervenir » sur l'économie et de relancer la machine. Dans le deuxième camp, celui des « nationalistes », les uns prônent la rupture radicale avec l'extérieur, la « déconnexion » unilatérale, alors que d'autres envisagent le recentrage dans le cadre d'une négociation avec l'extérieur. Les gouvernants qui prônent le libre-échangisme et font confiance aux mécanismes du marché qui préexiste comme une donnée hors de leur volonté ne peuvent plus avoir d'autres ambitions que de bien répondre aux messages extérieurs, de se laisser piloter par la structure des prix et par les mutations technologiques définies ailleurs. Les gouvernants qui jouent la carte du recentrage cherchent au contraire à accroître leur espace d'autonomie, pour définir souverainement les régimes de mobilisation et de rémunération des facteurs de production, les modes de production, les régimes d'accumulation et de distribution des richesses. Telle est la palette avec laquelle les responsables nationaux vont pouvoir composer leur politique économique.

1. La restauration libérale

Pour les libéraux, le marché doit être libéré de toutes les entraves qui l'empêchent de fonctionner.

Les trois mots d'ordre et leurs limites

Pour permettre à l'économie de redémarrer, les thérapeutes libéraux proposent de réduire les fonctions publiques : celles-ci, improductives par nature, ont pris dans les pays du tiers monde, comme d'ailleurs dans certains pays développés, une ampleur telle que leur simple reproduction oblige à ponctionner les producteurs de richesses jusqu'à l'asphyxie. Ils veulent aussi restaurer la liberté d'entreprendre : les entreprises agricoles ou industrielles, écrasées par la ponction et paralysées par la réglementation, n'arrivent plus à dégager de profit et sont dans l'impossibilité d'investir. Enfin, ils préconisent d'ouvrir l'espace économique : les pouvoirs publics ayant protégé l'économie nationale, les prix mondiaux ne sont plus ces indicateurs qui orientent les facteurs de production là où ils sont les mieux employés. Les capitaux et les produits, les équipements et la technologie, les hommes circulent mal. Les banques centrales, les douanes, les syndicats sont autant d'obstacles qui retardent l'avènement d'une économie mondiale construite selon l'implacable rationalité des avantages comparatifs. Et si le tout (l'économie mondiale) piétine, c'est bien sûr au détriment des parties (les économies nationales).

De ce credo libéral intemporel et universel, se dégage une thérapie qui n'a, elle non plus, ni âge ni frontière : le FMI, la BIRD, les pays libéraux distribuent aux gouvernements, sans souci des diversités, les mêmes potions dans les trois mêmes fioles.

Dans le contexte économique actuel, ces remèdes risquent bien de plonger les pays « aidés » dans une spirale récessionniste : gel de la demande publique (celle de l'État) et d'une partie de la demande privée (celle des fonctionnaires), anémie du marché mondial, actuellement plus offreur que demandeur. A supposer qu'on arrive à encourager les « entreprises », notamment en distribuant un crédit avantageux, on ne voit pas toujours où celles-ci pourront écouler le surplus de production.

Quels qu'ils soient, la réalité résiste aux modèles. Les Maldives ne sont pas les États-Unis. La division internationale du travail ne place pas tout le monde dans les mêmes conditions. L'entreprise privée n'est pas partout prête à jouer le rôle historique que le modèle lui reconnaît. Les paysans et les artisans fournissent toujours l'essentiel de la besogne. L'émergence et la consolidation d'une bourgeoisie « industrieuse » a pris plusieurs siècles en Europe. Elle fut ardemment soutenue par l'État, qui protégea les marchés nationaux et forma les hommes.

Le Chili de Pinochet et des Chicago boys

L'histoire économique récente des pays du tiers monde, largement influencée par les « plans » du FMI, fournit une multitude d'exemples de restauration libérale. Parmi ceux-ci, nous choisirons le cas chilien. Dans ce pays, en effet, les thérapeutes ont eu les mains libres. Le pouvoir militaire a permis de faire l'impasse sur toute négociation sociale. Les « Chicago boys », élèves du célèbre économiste américain Milton Friedman, ont pu transformer le Chili en véritable terrain d'expérimentation pour leurs idées ultra-libérales.

En septembre 1973, le coup d'État du général Pinochet mettait fin au régime socialiste du président Allende. L'orientation économique fut dès le départ très claire : ouverture de l'économie chilienne sur l'extérieur, diminution des dépenses publiques, désengagement de l'État de la sphère de la production et redistribution des facteurs de production selon la logique du marché. Bref, le retour à l'ordre libéral. La croissance stimulée par le dégagement de l'État fut soutenue par un appel très vigoureux aux crédits internationaux. Le processus eut pourtant immédiatement des conséquences sociales dramatiques. En l'absence de toutes protections sociales, la concentration des richesses a provoqué *a contrario* la création d'immenses poches de pauvreté. La restructuration de l'économie nationale, mise brutalement en concurrence avec l'économie transnationale, a ruiné des pans entiers de la société chilienne.

La contradiction éclata en 1981 avec le retournement de la politique américaine. A la liquidation du marché intérieur déjà engagée, s'ajouta le rétrécissement du marché mondial. L'économie chilienne entra alors dans un processus cumulatif de récession : le PNB par habitant chute en 1982 de 15,7 % ! La récession se poursuit en 1983 (− 2,4 %). La production est ramenée à son niveau de 1970, le revenu individuel moyen ne dépasse pas celui de 1960. Les salaires minimaux chutent de 50 % entre 1982 et 1985. Un tiers de la population est au chômage. Un chiffre considérable dans un pays où 81 % de la population est urbaine. Mais il y a plus, il y a maintenant une dette de 21 milliards de dollars (fin 1986) qui gage l'avenir : pour un pays de 12 millions d'habitants, cela représente une dette de 1 700 dollars par tête.

L'impasse économique aboutit le 13 janvier 1983 à la nationalisation *de facto* des principaux établissements financiers : une issue pour le moins paradoxale pour les tenants du libéralisme économique. A l'annonce de cette mesure, pourtant contraire à sa sensibilité, Wall Street éprouva un soulagement discret, tout comme à la fin de l'année 1982 lorsque le gouvernement mexicain reprit en main le marché financier national.

La restauration libérale suggérée par les milieux financiers internationaux, conseillée par le FMI, imposée par la main de fer de la dictature chilienne aboutit également à un malaise social et à la crise du régime militaire. En retard sur les autres pays latino-américains, les élections s'organisent au Chili et portent au pouvoir, en mars 1990, la « Concertation » animée par le président Aylwin. L'assainissement économique réalisé entre 1973 et 1990, le consensus politique depuis lors et la confiance des milieux économiques internationaux ont fait de 1992 une année record (10,4 % de croissance) annonçant la naissance en Amérique latine d'un premier « jaguar », petit cousin des « tigres » d'Asie.

Vrais et faux libéralismes en Asie du Sud-Est

En 1992, les indicateurs concernant les pays d'Asie du Sud-Est, mieux doués pour l'aventure capitaliste et choisis par le capitalisme international, sont encore excellents. Les Chinois et les Coréens, comme les Japonais, ont de vieilles traditions. Les Chinois notamment sont rompus à la finance et au commerce. Mais à vrai dire, les quatre « petits Japon » — Hong Kong, Singapour, Taiwan, Corée du Sud — appartiennent à différentes catégories.

Hong Kong et Singapour sont des villes-plates-formes choisies par les banques et les entreprises multinationales. Hong Kong voit passer 40 % des devises qui entrent en Chine. Singapour, troisième place financière pour le placement à l'étranger après Londres et Nassau, est le deuxième port après Rotterdam pour le tonnage de marchandises transitées. La jonction a pu être faite avec l'industrie ; on dénombre neuf zones franches à Hong Kong et quatorze à Singapour.

Mais, au début des années quatre-vingt-dix, les délocalisations industrielles et les investissements extérieurs se sont multipliés : vers le « triangle de croissance » constitué par la Malaisie, l'Indonésie et la Thaïlande, vers le Vietnam pour Singapour et vers la Chine du Sud-Est pour Hong Kong.

Taiwan a déjà plus d'épaisseur, il y existe notamment une agriculture très productive. Mais le contexte, là encore, est un peu particulier. Articulé sur une diaspora chinoise largement déployée dans le Pacifique, Californie incluse, Taiwan a incontestablement bénéficié de l'ouverture de son économie.

Mais le cas qui se veut le plus exemplaire sur le plan économique est sans doute celui de la Corée du Sud ; probant sans doute... mais somme toute peu libéral ! Car l'économie coréenne, bien que très articulée sur l'extérieur, reste contrôlée par des autorités publiques très interventionnistes, qui ont prêté attention au tissu rural et industriel national. Elle s'appuie sur un nationalisme d'autant plus marqué que l'on a quelque chose à prouver à la Corée du Nord. Le pays a pu résister mieux que d'autres à la crise, parce qu'il a refusé de jouer un rôle de simple pays-atelier et réussi à exporter des produits de plus en plus sophistiqués.

Le coût social de cette politique très volontaire n'est pas mince et la dépendance économique de la Corée vis-à-vis du marché international se révèle extrêmement forte. Avec une dette de 39 milliards de dollars en 1991, sa situation financière et économique n'est pas exempte d'incertitudes, alors que sa situation politique est loin d'être stabilisée.

2. La relance keynésienne

Les keynésiens s'appuient sur le même credo que les libéraux, mais ils ne croient pas que la simple restauration des mécanismes du marché suffise à faire repartir d'elle-même la machine économique. Les libéraux attendent la reprise, les keynésiens provoquent la relance. Il faut remettre le bateau à flot et relancer le moteur. Et pour le relancer, il faut distribuer du pouvoir d'achat public et privé.

Le keynésianisme va souvent de pair avec des conceptions politiques social-démocrates ; la foi des keynésiens dans le rôle moteur de la consommation, et notamment de la consommation populaire, recoupe en effet les préoccupations des sociaux-démocrates en faveur des couches sociales moyennes ou pauvres qui constituent souvent leur base électorale.

Les solutions keynésiennes pour le tiers monde ont été particulièrement mises en avant dans les milieux des organisations internationales « onusiennes ». La relance est attendue d'un transfert massif de moyens financiers du Nord vers le Sud, *via* (bien sûr) les organisations internationales. Le rapport Brandt, par exemple, a défendu l'idée d'un plan Marshall Nord-Sud. Mais, depuis le début des années quatre-vingt, le tarissement des liquidités internationales et leur aspiration par les États-Unis retirent beaucoup de réalisme à ce genre de proposition alors que la demande de financement des pays de l'Est est, elle aussi, considérable. Les contribuables du Nord n'ont donc pas trop à s'inquiéter de ces déclarations généreuses... Mais admettons quand même qu'on passe des intentions aux actes, qu'adviendrait-il ?

Les économies de rente et les sociétés de consommation

Les pays pétroliers ont bénéficié d'une brusque injection de pouvoir d'achat. Ils ont constitué des « économies de rente ». Le sextuplement des prix du pétrole en 1973 (de 2 à 13 dollars le baril), puis de nouveau leur doublement en 1979 (de 13 à 29 dollars) a provoqué des transferts financiers massifs. La rente pétrolière a eu des effets considérables sur les économies des pays concernés : explosion de la consommation et de l'importation de biens de consommation, multiplication des unités de production achetées clés en main et posées sur le sable sans autre souci d'intégration, enfin transfert de capitaux vers les circuits bancaires internationaux. Même dans les « pétro-pays » peuplés (Nigeria, Algérie, Venezuela...), les tissus sociaux et économiques nationaux n'ont pas transformé cet apport financier brutal en forces productives. Bien au contraire, la rente a souvent favorisé la décomposition des secteurs productifs nationaux. L'aide alimentaire, qui est une autre forme de rente extérieure, provoque un processus similaire d'asphyxie des agricultures vivrières qui ne peuvent résister à la concurrence de biens alimentaires déversés sur les marchés nationaux gratuitement ou à très bas prix.

Dans les pays où règne la corruption, ceux où la structure sociale est très hiérarchisée et ceux où le marché intérieur est très étroit, l'économie ne peut réagir convenablement à la forte injection de pouvoir d'achat. Dans la plupart des pays du tiers monde, les conditions ne sont pas réunies pour qu'une politique de relance classique entraîne une réelle dynamique de développement. D'ailleurs, le problème ne se pose plus en 1993 : les économies de rente ont disparu avec la chute du pétrole à 17 dollars le baril à la fin 1992. Seuls les petits Émirats peuvent vivre en rentiers du pétrole.

3. La déconnexion unilatérale

Pour les partisans de cette solution radicale, la domination du tiers monde et le sous-développement sont inscrits dans les modalités de l'échange international. Aussi, pour les pays du tiers monde qui refusent de subir la loi des puissances économiques, il n'existe pas d'autre solution que de se retirer du marché mondial, une solution baptisée « déconnexion » ou « déliaison » *(delinking)*.

Les tenants de cette école de pensée sont plus diserts sur la société future que sur la manière de la construire. Ils n'ont pas de difficulté à souligner l'intérêt de promouvoir une économie définie à l'échelle des souverainetés locale ou nationale dans laquelle demande et offre, investissement et épargne se répondraient et où une accumulation endogène deviendrait possible. Mais on peut avoir quelques doutes sur la possibilité, dans un contexte normal, de couper brutalement les ponts avec l'extérieur, car compte tenu du degré d'intégration actuelle du monde non seulement les économies s'interpénètrent, mais aussi les cultures, les habitudes alimentaires, les modes, la musique... Cette « interconnexion » se traduit en importation et en exportation. Certes, quelques pays de grande taille ou richement dotés disposent dans leurs espaces de quoi s'en sortir seuls, mais la plupart, moins bien lotis, plus petits, dominés depuis des lustres, n'ont plus sur place les moyens de s'autosuffire. La déconnexion brutale sera dans tous les cas une véritable révolution, non seulement en ce qu'elle renverse les hiérarchies sociales, mais plus profondément encore en ce qu'elle provoque une rupture des modes de production et des habitudes de consommation.

La déconnexion implique donc une capacité exceptionnelle de mobilisation, faute de quoi les privations qu'elle implique ne pourront être acceptées. La guerre qui casse l'échange extérieur (cas des guerres de libération) ou même le marché mondial (cas des guerres mondiales) et mobilise tout un peuple dans le combat contre un ennemi extérieur entraîne une déconnexion obligée. Les « économies de guerre » en vigueur dans les zones libérées illustrent bien les thèses ici défendues. Plus durablement, la Chine a vécu, depuis la Longue Marche et la République du Kiang-Si, une expérience de développement autarcique, dont elle essaye aujourd'hui de sortir. Enfin, le Kampuchéa a connu avec les Khmers rouges de 1975 à 1979 une déconnexion radicale dans laquelle la volonté d'établir un autocentrage quasi absolu a provoqué une répression féroce. L'expérience, qui s'est traduite par la liquidation du tiers de la population cambodgienne restée sur place, l'affaiblissement des deux autres tiers par le travail forcé, l'abandon des villes, notamment de Phnom Penh devenue ville fantôme, a abouti à une décapitalisation massive du pays, à un obscurantisme lui aussi radical et à l'invasion vietnamienne. Il n'y a là rien de séduisant, ni de concluant.

La déconnexion n'est donc possible que s'il règne dans le pays, à la faveur de circonstances historiques exceptionnelles, une motivation largement partagée, très liée à la crédibilité des forces porteuses du projet, que ce soient un parti, une Église ou une armée de libération... Ces périodes « fastes » où les contradictions sociales internes s'estompent sont forcément brèves. D'autant que le pays devra résister à toutes les formes de pénétration extérieure, même les plus sournoises : la Voix de l'Amérique ou Radio Moscou, l'aide internationale, la guérilla menée des frontières par les exilés, la nomination des évêques par le Vatican, quand ce n'est pas le débarquement pur et simple d'une armée étrangère... Il faudra durablement maintenir un équilibre instable ce qui, les physiciens le savent, exige une attention de tous les instants et beaucoup de muscles.

4. Le recentrage négocié

Les défenseurs de cette thèse proposent de relancer les économies nationales sans attendre une hypothétique reprise de l'économie mondiale. Mais la politique de relance dont il est question ici n'a pas grand-chose à voir avec l'appel à un nouveau plan Marshall. Elle doit en effet savoir se passer des liquidités internationales, actuellement occupées à la modernisation de la grande industrie du Nord ou, à la marge, au rééchelonnement des dettes des pays du tiers monde. La relance économique des pays du Sud doit donc être obtenue, surtout chez les plus pauvres, par la mobilisation des facteurs nationaux de production effectivement disponibles et jusqu'alors sous-utilisés, et par la renaissance des marchés locaux.

En s'internationalisant, l'économie capitaliste a diffusé dans l'ensemble du monde ses modes de production et ses technologies. Elle a, de ce fait, marginalisé une partie importante de la force de travail, des terres, des ressources naturelles et des produits locaux, sous prétexte qu'ils n'étaient pas compétitifs selon ses propres normes de rentabilité ou de qualité... Ces facteurs ne pourront se réintégrer à un processus de production que si des « économies territoriales » reparaissent et réussissent à établir d'autres normes plus compatibles avec les réalités locales que les normes internationales.

La relance des économies des pays sous-développés n'est possible que si celles-ci peuvent se recentrer, et le recentrage n'est envisageable que si se constituent des espaces économiques locaux, nationaux et régionaux plus autonomes. Pour favoriser cette évolution, les gouvernements sont appelés à intervenir à deux niveaux ; au plan national, l'avènement d'un nouvel ordre économique intérieur, celui d'un développement autocentré, et au plan international, la négociation d'un nouvel ordre économique, celui de l'organisation des échanges et des espaces.

L'homme (et la femme), avec sa capacité de travail, de créativité et d'entreprise, est une richesse. L'émergence spontanée dans les pires conditions de secteurs informels est là pour le démontrer. Le chômage constitue un manque à gagner. Pour réinsérer les hommes et les femmes dans les processus de production et de consommation, c'est-à-dire pour relancer l'économie, il faut *donner à chacun accès à l'appareil de production*. Dans bien des pays, notamment en Amérique latine, ce sera d'abord donner accès à la terre. L'extrême concentration du foncier entraîne le plus souvent soit une non-exploitation des terres, soit une exploitation extensive (un bovin pour cinq hectares dans les grandes *fazendas* brésiliennes), alors que des dizaines de millions d'hommes — près de quarante millions pour le seul cas du Brésil — ne trouvent pas à s'employer. La création d'emplois industriels comme la volonté de restaurer une souveraineté nationale peuvent amener à procéder à certaines nationalisations. Dans d'autres cas, il faudra veiller à maintenir un équilibre entre grandes entreprises, petites entreprises et artisanat. Pour certains créneaux, on pourra essayer de favoriser la petite production, qui souvent mobilise mieux les ressources locales et crée davantage d'emplois.

Mais il faut aussi *donner à chacun la possibilité d'entreprendre* ; et d'abord rompre tout obstacle réglementaire ou commercial qui pourrait bloquer l'émergence d'activités nouvelles. Les pays socialistes qui ont été jusqu'à bannir toute initiative privée — on peut penser à la Guinée de Sékou Touré — ont enregistré des résultats économiques désastreux. La Chine, se libéralisant, a vu se créer entre 1978 et 1982 près de 17 millions d'emplois dans les « petites activités urbaines ». Pour faciliter la création d'activités économiques, il faut aussi permettre à une très large population d'avoir accès à la formation et à la technologie. Les bénéficiaires de la réforme agraire doivent devenir des paysans et rapidement constituer ensemble une paysannerie, faute de quoi on observera bien vite une dégradation rapide des sols et un retour après hypothèque des terres distribuées aux mains des usuriers ou des grands propriétaires (comme sur la frontière agricole amazonienne). Les artisans, les petits entrepreneurs doivent pouvoir s'approprier une technologie adaptée au contexte dans lequel ils doivent produire, une technologie utilisatrice de travail (disponible) et économe en capital (rare). Plutôt que de chercher à suivre toutes les modes internationales ou, autre extrême, de vouloir conserver coûte que coûte les techniques traditionnelles, il est préférable de favoriser la création locale de techniques susceptibles d'appropriation par les producteurs nationaux et créatrices de richesses économes en devises. Car aujourd'hui, vu l'état d'endettement de la plupart des pays du tiers monde, il ne suffit pas de créer de la richesse, il est impératif que celle-ci soit économe en importation : priorité doit être donnée à la valorisation du potentiel national et à l'incorporation dans la production de matières premières, d'énergies, de travail et de savoir-faire locaux. Il y a là un champ d'investigation aussi immense que prioritaire pour les institutions nationales de recherche ; les chercheurs qui, eux aussi, sont soumis aux normes internationales et donc atteints par le syndrome du prix Nobel doivent plus qu'ils ne le font s'interroger sur les modes d'utilisation des richesses locales : matériaux pour la construction, matières premières et énergies pour l'artisanat et l'industrie, variétés, équipements locaux pour l'agriculture...

Créer de nouveaux espaces de souveraineté économique

En économie ouverte, les entrepreneurs — agriculteurs, artisans et industriels — ne disposent que d'une très faible marge d'action et de liberté. Le blé américain, la voiture japonaise, la machine-outil allemande... s'imposent par leur compétitivité. Les agricultures et les industries du tiers monde ont besoin d'un espace économique pour s'affirmer.

Les disciples de cette école de pensée se réfèrent souvent à la manière dont l'Europe verte a été bâtie.

Dans le tiers monde, les expériences régionales sont, jusqu'à présent, peu concluantes. L'OUA va de crise en crise. Le « Plan d'action de Lagos » qui, pour la première fois, posait en 1979 la question du développement économique à l'échelle africaine n'a eu pour effet que d'énerver la Banque mondiale qui a sorti immédiatement un contre-rapport (celui du très libéral Pr Berg). L'ASEAN, qui regroupe les cinq pays du Sud-Est asiatique, ou le Pacte andin se contentent de discours de circonstances. Il en va de même du CARICOM, qui rassemble les pays caraïbes, ou du marché commun centro-américain. Ces tentatives sont laborieuses et souvent vaines. Pourtant, pour les petits pays, il n'existe guère d'autres solutions que de s'insérer dans des espaces économiques plus larges que l'espace national. Les pays continentaux — Brésil, Inde, Chine — existent en revanche comme espaces de souveraineté économique.

Le *Brésil* a longtemps joué la carte de l'insertion contrôlée dans le marché mondial. Parallèle au processus de démocratisation politique en cours depuis 1984, la reconquête d'une souveraineté économique et la question des « réserves du marché » font l'objet dans ce pays d'un débat très vif. La décision, en novembre 1984, de protéger le marché brésilien de l'informatique pour permettre la naissance d'une véritable industrie nationale est, de ce point de vue, symbolique. Le président Sarney a été pour cette décision vertement réprimandé par le président Reagan lors de son voyage à Washington en septembre 1986. Le président Color a commencé à mettre fin à cette politique de protection. Après sa destitution, le débat a été relancé.

En *Inde*, la maîtrise des importations et la politique d'équilibre entre les artisanats et les industries de différents niveaux de modernité a favorisé la densification du tissu industriel. Dans l'industrie du sucre, par exemple, de petites entreprises, les *khansaris*, où tout est indien (le capital, la technologie, le travail), ont été soutenues. Tout comme les industries textiles fortement utilisatrices de main-d'œuvre, et toute une gamme de petites industries rurales qui prolongent les activités agricoles et artisanales de type familial.

Dans l'industrie lourde, une forte protection a permis la constitution de quelques empires industriels, comme les groupes Tata ou Bharat. Mais l'absence de concurrence et l'intervention de l'État n'ont pas que des avantages. Les produits sont souvent de qualité moindre et de coût élevé.

Dans des domaines comme l'aéronautique, l'informatique, le spatial, les télécommunications ou le nucléaire, l'Inde n'hésite pas, si nécessaire, à s'appuyer sur la technologie étrangère, comme le montre l'accord entre Suzuki et la firme indienne Maruti Udyog qui a permis en 1985 de produire 100 000 voitures.

Plus ou moins d'État ?

Le recentrage, parce qu'il contredit la logique libre-échangiste, et la relance, parce qu'elle s'oppose au *trend* récessionniste actuel, ne s'imposeront pas spontanément. Ils nécessitent une attitude volontariste contre l'ordre (présent) des choses. Dans les pays économiquement faibles, on ne voit guère que le pouvoir d'État, s'exerçant au niveau national ou régional, pour imposer une telle politique. Mais cette option comporte des risques. L'histoire est prodigue en désastres économiques provoqués par les pouvoirs d'État qui n'ont remplacé les lois du marché que par l'arbitraire.

Peut-on maîtriser l'échange extérieur sans tuer les dynamismes sociaux et économiques internes ? Fernand Braudel, dans sa grande fresque historique du capitalisme, ouvre des pistes de réflexion. Il distingue *capitalisme transnational* qui, d'après lui, mène l'économie-monde et est destructeur des économies locales et nationales, et *économie de marché* qui appartient à la nature même de toutes les sociétés humaines. L'État aurait donc, selon lui, une double politique à mener : contrôle du capitalisme transnational et promotion de l'économie de marché.

L'évolution récente de l'économie chinoise est intéressante de ce point de vue, en ce qu'elle cherche maintenant à redonner vie à l'économie de marché, sans perdre la maîtrise de l'échange extérieur. Le système des communes populaires a été démantelé en 1981 au bénéfice des familles paysannes, qui pour 80 % d'entre elles avaient, dès 1982, reconstitué des exploitations. Les revenus agricoles ont fortement monté (10 % de progression annuelle en moyenne) et, malgré des conditions peu favorables, la production céréalière est passée de 325 millions de tonnes en 1981 à 400 millions en 1984.

Les « petites activités urbaines », qui avaient presque disparu (150 000 emplois en 1978), se sont multipliées (17 millions d'emplois en 1982). En 1984, Pékin engage une profonde réforme industrielle. L'État décide de « libérer » progressivement une partie des prix et des salaires. La planification quantitative ne s'applique plus qu'aux produits de base. Les autres suivent « la loi du marché ». Les entreprises sont désormais soumises à un impôt sur les bénéfices et disposent à leur guise du reste du profit. La production industrielle augmente effectivement fortement (+ 9 % en 1984). La réapparition de la « liberté d'entreprendre » a incontestablement stimulé l'économie, mais elle provoquait déjà en 1984 et 1985 des tensions sociales peu compatibles avec l'idéologie très égalitariste qui domine toujours en Chine. Les entrepreneurs, les paysans, les artisans, ne connaissent pas tous le même succès ; certains deviennent employeurs, d'autres salariés, certains perdent leur terre, d'autres l'agrandissent. L'orientation plus libérale de l'économie chinoise a également ouvert la brèche à de nombreux excès : dissimulation des bénéfices, détournement de fonds, abus de pouvoir... En tout cas, malgré les mouvements de bascule et comme le fameux chat de M. Deng Xiaoping, la Chine, blanche ou grise, attrape les souris : avec 12 % de croissance annuelle en 1992 et 20 % de croissance industrielle, la Chine est devant les « dragons » ! Un espace économico-culturel s'ébauche entre ses provinces côtières, Taiwan, Hong Kong et les diasporas chinoises du Pacifique. L'avenir dira ce que ces contradictions naissantes remettent en cause de la libéralisation économique ou de l'idéologie socialiste. Le printemps de Pékin et les événements de la place Tian Anmen ont donné un avant-goût à la fois de l'aspiration à la démocratisation de la société et de la détermination des tenants du système socialiste.

IX / Exister sur la scène internationale :
un tiers monde, des tiers mondes
ou... pas de tiers monde ?

L'ordre mondial repose sur un équilibre des forces. L'Angleterre du XIXᵉ siècle est sans doute la première puissance à dominer le monde à la fois sur le terrain stratégique et sur le terrain économique. Le libéralisme, imaginé à la fin du XVIIIᵉ siècle par A. Smith et devenu, au XIXᵉ siècle, système économique de la puissance hégémonique, donne naissance à un nouvel ordre géopolitique et provoque une violente restructuration économique et sociale. La guerre de 1914-1918 est mondiale car l'hégémonie est en jeu. De fait, certains des compétiteurs en sortent vaincus, d'autres victorieux mais affaiblis. Le relais est repris par les États-Unis. La Société des Nations (SDN) sert de faux-nez sur le plan géopolitique, le libéralisme poursuit son œuvre unificatrice. Ce monde unipolaire se brouille avec la crise de 1929. Face au libéralisme, le communisme et le nazisme constituent deux autres espaces expansionnistes et antagonistes. La guerre de 1939-1945 est mondiale car, là encore, le leadership dans la gestion du monde est en cause. Le nazisme est défait, les deux vainqueurs, États-Unis et Union soviétique, se partagent en ouest et en est et partagent l'Allemagne et l'Europe en deux.

1. De l'ordre ancien...

L'accord conclu à Yalta en février 1945 entre les vainqueurs du second conflit mondial (États-Unis, Union soviétique et Royaume-Uni) est le traité fondateur du nouvel ordre mondial. De fait, cet ordre a garanti l'équilibre d'un monde divisé en deux blocs dont les frontières n'évolueront qu'à la marge.

Ce relatif *statu quo* territorial a permis à chaque bloc de développer ses propres mécanismes d'intégration. Ceux-ci sont imposés par les deux puissances centrales, parfois au mépris des intérêts et des désirs de leurs obligés. A l'Ouest, c'est sur le terrain économique que s'est construit un système complexe de dépendance et d'interrelations entre des nations agrégées autour d'un centre économiquement dominant. A l'Est, le grand frère soviétique veille à l'obéissance de ses satellites, sous couvert d'un internationalisme de façade et grâce à la menace des armes.

A l'Est, les pays du tiers monde soumis au primat du politique

• *Le mécanisme d'intégration.* — Ni séduction idéologique ni intérêt économique ne cimentaient le bloc socialiste. C'est par le jeu des alliances dans des conflits locaux (l'Éthiopie), par la nécessité de contrebalancer la puissance américaine (le Nicaragua) ou par l'intervention directe (l'Afghanistan) que le camp s'élargissait vers le Sud. Leonid Brejnev (président du presidium du Soviet suprême) avait exposé en son temps la vision du socialisme moderne vers laquelle tous les pays frères étaient « invités » à tendre. Pour lui, le statut de « pays à orientation socialiste » impliquait à la fois « la liquidation des monopoles impérialistes, la maîtrise par l'État populaire des leviers de commande, la participation active des masses dans la vie sociale, la définition d'une politique étrangère anti-impérialiste et la constitution d'un parti révolutionnaire ». Pour Ponomarev, le processus de socialisation devait se poursuivre notamment par l'alignement sur l'Union soviétique en politique étrangère et par l'adhésion du parti révolutionnaire au socialisme scientifique. Le pays n'était considéré comme vraiment socialiste que si le parti communiste pouvait conquérir un pouvoir hégémonique dans tous les domaines : politique, militaire, économique, culturel... et que s'il était bien articulé sur le PCUS.

La mise en place d'un pouvoir hégémonique, par asphyxie ou anéantissement de toute opposition, constituait la première des obsessions. Un tel cahier des charges ne pouvait aboutir à terme qu'à la satellisation du pays frère et à la montée d'un « stalinisme tropical », les deux phénomènes se renforçant mutuellement. Les pouvoirs construits sur le substrat national (les partis, les syndicats, les organisations populaires, la presse, les Églises et parfois jusqu'au parti communiste, s'il avait quelques sentiments nationalistes comme dans l'Égypte des années soixante), étaient combattus et la société réduite au silence. Pour définir ce processus, Hélène Carrère d'Encausse parlait du fraternalisme comme du « stade suprême de l'impérialisme ».

• *Le processus de désintégration.* — Les années quatre-vingt ont montré que l'URSS ne pouvait plus, sur aucun terrain, soutenir le rapport de force inhérent au traité de Yalta. Mikhaïl Gorbatchev a progressivement « jeté l'éponge ». S'engagent à partir de 1985 un rapprochement puis une intégration des pays du bloc soviétique dans les systèmes stratégiques et économiques dominés par l'Occident. Les pays-frère du tiers monde, devenus orphelins, sont appelés à faire de même : processus de paix en Afghanistan (avril 1988), entre l'Iran et l'Irak (août 1988), en Angola (mai 1991), en Éthiopie (mai 1991), au Salvador (décembre 1991), détente tous azimuts. Aujourd'hui, seule Cuba poursuit son chemin solitaire. Les pays d'Europe centrale prennent le large, le mur de Berlin s'effondre le 9 novembre 1989, l'URSS elle-même disparaît au profit d'une éphémère Communauté des États indépendants, la Fédération de Russie est soumise à son tour à de multiples forces centrifuges.

Le bloc soviétique constitué à l'issue de la Seconde Guerre mondiale disparaît. Une parenthèse ouverte en 1945 se referme. Le libéralisme n'a plus de concurrent, l'économie-monde plus de frontière.

A l'ouest, le tiers monde soumis au primat de la finance

En 1945, les pays du tiers monde étaient, sauf l'exception latino-américaine, intégrés aux empires coloniaux. Puis vint l'heure des indépendances et des premiers pas dans l'économie mondiale. Poussés par l'économie de crédit international qui se met en place en 1974 grâce au recyclage des pétrodollars, les pays du tiers monde s'endettent ; ils sont confiants dans leur capacité de conquérir une part grandissante des marchés mondiaux et suivent les conseils de ceux qui veulent leur vendre des produits ou des services, exploiter leurs matières premières, bénéficier du faible coût de leur main-d'œuvre et de la permissivité de leurs lois. Avec le revirement de la politique américaine en 1981 et la récession mondiale des années 1981-1982, les marchés se ferment ; les pays du tiers monde se retrouvent endettés et insolvables. La décennie quatre-vingt sera pour eux celle de la dette et de l'ajustement structurel, elle sera celle de leur pleine intégration à l'économie mondiale.

• *Le casse-tête de la dette du tiers monde.* — La dette atteint 1 427 milliards de dollars en 1992, elle continue à croître, mais à un rythme lent depuis la frayeur causée par la quasi-faillite mexicaine de 1982. Depuis dix ans, les banquiers publics et privés ont appris à vivre avec elle et, surtout, à partager le fardeau de son non-remboursement. Sur son traitement, les avis continuent à être partagés :

— Les *optimistes* attendent un redémarrage de la croissance de l'économie mondiale. La dette ne traduit pour eux qu'un déséquilibre conjoncturel. Il convient donc de « jouer la montre » avec pragmatisme, c'est-à-dire de rééchelonner les dettes, au cas par cas, tout en faisant pression pour restaurer les conditions libérales de la reprise. Ainsi tout un chacun pourra « coller » à la reprise américaine attendue qui est le moteur du mouvement général. Le plan Baker, du nom de l'ancien secrétaire au Trésor américain, illustre — après et avant d'autres plans — cette vision optimiste qui permet de faire l'impasse sur toute idée réformatrice. James Baker proposa à Séoul, en octobre 1985, de « réinjecter » 20 milliards de dollars dans les économies des quinze pays les plus endettés pour relancer leur croissance et faciliter les remboursements.

— Les *pessimistes* ne croient pas en la reprise des économies du Sud. Ils plaident donc pour une « restructuration » de la dette. Ils estiment en effet que le libre jeu du marché ne peut résoudre les problèmes structurels que celui-ci a lui-même créés. De fait, la plupart des experts admettent à la fois l'impossibilité pour le tiers monde de rembourser ses dettes aux conditions fixées par les banques privées, et l'impossibilité pour ces banques, qui détiennent près de deux tiers des créances des pays du Sud, de supporter un non-remboursement ; il n'y a pas d'issue au face à face banques-pays du tiers monde. Les États du Nord, c'est-à-dire les contribuables, risquent donc d'être mis en demeure de rembourser les banques à la place des États du Sud. Pour ce faire, deux issues sont envisageables : le rachat pur et simple des « mauvaises » dettes par les Trésors publics ou l'émission par le FMI de droits de tirage spéciaux (DTS) permettant de « socialiser » à l'échelle mondiale, sans doute grâce à un léger surcroît d'inflation, les conséquences de l'imprudence conjointe des responsables des pays du tiers monde et des banques. Dans la première hypothèse, le Nord aurait à réaliser un effort considérable même dans le cas d'un moratoire partiel. Certes, les États-Unis ont versé 4,5 % de leur PNB de 1949 à 1952 pour financer, grâce au plan Marshall, la reconstruction européenne. Mais, en période de crise économique et de concurrence sévère entre les nations occidentales pour capter les capitaux et les marchés, on voit mal les gouvernements faire preuve d'une telle générosité.

A vrai dire, c'est avec empirisme que la question de la dette est abordée. Depuis quelques années, diverses pistes ont été suivies. Le principe d'un allégement concessionnel de la dette des pays les plus pauvres a été accepté lors du sommet économique de Venise en juin 1987, confirmé au sommet de Toronto en juin 1988, amplifié au sommet de Londres en juillet 1991 ; le « traitement de Londres » permet aux pays les plus pauvres et les plus endettés un allégement de leurs dettes pouvant aller jusqu'à 50 %. Le Nicaragua, le Bénin, la Tanzanie, la Bolivie, la Guinée équatoriale, le Togo, l'Ouganda et la Zambie ont été les premiers « cas » traités par le « Club de Paris ». Depuis la conférence des chefs d'État de France et d'Afrique en mai 1989, la France a annulé les dettes des PMA la concernant et, depuis le discours de La Baule du président Mitterrand, en juin 1990, elle ne contribue plus à leur endettement et coopère avec eux uniquement par concours définitif, c'est-à-dire sous forme de dons. Pensant aux pays de la zone franc dont la crise fait peser un risque sur ses propres équilibres financiers, elle a demandé sans succès un traitement particulier pour les « pays à revenu intermédiaire de la tranche inférieure ». En juillet 1991, au sommet du G7 de Londres, l'Égypte a, pour des raisons politiques (« bon » comportement pendant la guerre du Golfe), bénéficié d'une annulation immédiate de 30 % de sa dette et d'une promesse de 20 % d'annulation supplémentaire en cas de respect des clauses d'ajustement. Un marché secondaire s'est ouvert pour l'achat et la vente des titres de créances. On y observe une décote importante de ces titres. De nombreux mécanismes financiers se sont greffés sur ce marché, permettant d'échanger des créances contre des participations ou des valeurs mobilières ou encore de capitaliser des intérêts. Les banques créditrices associées à des entreprises industrielles suivent de près les Bourses des pays endettés où s'opèrent des opérations de privatisation. Parfois, le gouvernement essaie d'échanger des créances contre des actifs industriels ou des ressources naturelles. Les Philippines ont proposé, en 1986, aux banques commerciales qui leur avaient prêté 14 des 26 milliards de dollars de sa dette extérieure de l'époque, de convertir des créances en prise de participation dans des entreprises publiques. Mais c'est prendre un risque entrepreneurial que les banques n'aiment pas. La France a mis en œuvre avec les Philippines une opération de conversion de 10 % de l'encours de ses créances en crédits commerciaux. Mais ces opérations restent limitées face au gouffre de l'endettement. Les banques, notamment américaines, ont renforcé leurs provisions et essaient de céder leurs titres. De grandes banques, comme le Citicorp, ont passé par profits et pertes une part importante de leurs créances.

• *Les pays du tiers monde, structurellement réajustés.* — Les négociations pour le rééchelonnement des dettes dans le cadre du Club de Paris (dettes publiques) ou du Club de Londres (dettes privées), les négociations pour l'obtention de crédits nouveaux avec la Banque mondiale ou les banques régionales vont toujours avec l'acceptation d'un « plan d'ajustement structurel ». Ces plans contiennent trois exigences : la réduction des déficits publics, la privatisation des entreprises publiques et la disparition des freins aux échanges extérieurs. La décennie aura donc vu les économies du tiers monde se réajuster et s'intégrer à l'économie mondiale.

Cette prise en main indirecte des politiques budgétaires, financières et économiques permet donc d'unifier l'économie mondiale, de rendre disponible l'ensemble des facteurs de production du tiers monde et de donner un accès sans contrainte à tous leurs marchés. Sauf les hommes du tiers monde et sauf les productions concurrentes de celles du Nord (certains produits agricoles, comme le sucre, ou industriels, comme l'acier, les textiles ou les voitures...), tout circule librement entre le Nord et le Sud. Pour atteindre ce résultat, le GATT n'a pas eu à intervenir, le FMI et la Banque mondiale ont suffi à la tâche.

Vus sous cet angle, les 1 000 ou 1 500 milliards de dollars de la dette constituent le prix à payer, somme toute modeste, pour la création d'un ordre économique international libéral. Contrairement à une idée fort répandue, les gouvernements des pays du Sud ne passent pas volontiers sous les fourches caudines du FMI et des plans d'ajustement structurels. Les menaces mexicaines de non-remboursement pour cause d'effondrement des cours du pétrole, les positions fracassantes, en 1985, du président péruvien Alan Garcia, concernant la limitation du remboursement de la dette à 10 % de la valeur des exportations, les multiples pirouettes brésiliennes autour de la signature d'accords mort-nés qu'ils savent très bien ni ne pouvoir ni ne vouloir respecter, représentent autant de tentatives pour élargir leur espace de négociation. Mais ces mouvements sont sporadiques et isolés. Le « groupe de Carthagène », qui regroupe les pays latino-américains autour de la question de la dette, n'inquiète guère le monde de la finance internationale.

2. ... au nouvel ordre mondial

Débarrassés de l'alternative soviétique, les États-Unis ont été prompts à parler de « nouvel ordre mondial », c'est-à-dire à annoncer leur « leadership ». Légitimé par le Conseil de sécurité des Nations unies et garanti par la puissance américaine, ce nouvel ordre serait celui des droits de l'homme, de la paix universelle et de la prospérité mondiale. Ce pas de deux avec l'ONU fonctionnera entre 1990 et 1992 : processus de paix tous azimuts, reconnaissance d'un droit d'ingérence humanitaire, relais pris et rendu dans la crise du Golfe et, de manière moins périlleuse, en Somalie. Pourtant, en 1993, après la campagne bosniaque, il devient clair que l'ONU est incapable de garantir un ordre de paix avec des troupes hétéroclites et désarmées, dotées d'un commandement paralysé par les aléas des débats new-yorkais. Revenons donc à la puissance et aux calculs américains, et pour ce faire, laissons A. Valladao présenter la « stratégie du homard » *(État du monde 1993)* : « Les centres vitaux du crustacé sont constitués par les trois pays de la NAFTA (USA, Canada, Mexique). La queue, riche en chair, est représentée par l'Amérique latine. Cet arthopode géopolitique exerce son influence grâce à deux formidables princes : les alliances militaires qui lui permettent d'encadrer d'un côté l'Europe occidentale, de l'autre le Japon et l'Asie-Pacifique. Entre les deux : les zones de turbulence de l'ex-empire soviétique et du monde musulman sur lesquelles l'animal projette ses antennes et où il est possible, selon les enjeux, d'intervenir directement ou non. »

A vrai dire, le véritable visage du « nouvel ordre mondial » se dessine sur le terrain économique. Il dépend essentiellement du degré de libre-échange qui se met en place. Au cours de la décennie quatre-vingt, les pays du Sud ont été réajustés lors des négociations avec le FMI et la Banque mondiale. Avec la décennie quatre-vingt-dix et avec l'Uruguay Round, vient le tour des pays du Nord. Cette fois, les forces sont plus équilibrées et l'issue plus incertaine. Une mondialisation totale de l'économie n'est pas inévitable : sa régionalisation ou son éclatement sont également envisageables.

Aujourd'hui la mondialisation est inégalement engagée selon les domaines :

— les informations circulent sans contrainte grâce aux réseaux satellites. Avec la numérisation et la compaction des données, la capacité et la vitesse de transfert sont devenues considérables et les coûts dérisoires : avec un téléviseur chacun pourra bientôt recevoir des centaines de chaînes ; avec un micro-ordinateur et un modem, chacun peut, grâce aux « autoroutes télématiques », avoir accès aux banques de données et bientôt aux banques d'images et contacter dans le monde entier n'importe quelle entreprise ou individu munis du même équipement ;

— les flux financiers qui, le plus souvent, ne sont que des flux d'informations, sont devenus considérables et instantanés. Ils sont vingt fois supérieurs aux flux des produits et jouent leur propre jeu dans une « bulle spéculative ». Le système monétaire mondial existe grâce à l'échangeabilité des monnaies sur le « marché » et grâce à la prééminence de quelques monnaies de statut international ;

— les produits et les services circulent moins facilement. Le transport physique garde un coût qui constitue un avantage pour les produits locaux. Subsiste aussi quantité de barrières tarifaires (douanes) et non tarifaires (normes) qui interdisent ou renchérissent les produits extérieurs. A l'inverse, certains pays sont en mesure de « casser » les prix mondiaux soit en subventionnant l'exportation, soit en réduisant les coûts de production à peu de chose (rémunération du travail) ou à rien (taxes, pénalités écologiques) ;

— les hommes, considérés comme facteur de production, circulent difficilement, voire ne peuvent plus circuler, légalement du moins. Les politiques de restriction en matière d'immigration excluent le facteur travail du libre-échange ; de ce point de vue, les frontières existent plus que jamais.

Dans le tiers monde, la division internationale du travail tend à s'amplifier et la carte des investissements et des délocalisations fait apparaître quelques pôles de croissance, mais aussi des océans de pauvreté. O. Dollfus parle d'archipels utiles et inutiles. De cet océan émergent l'Asie du Sud-Est, particulièrement le monde chinois (Taiwan, Singapour, Hong Kong, les provinces côtières de Chine, mais aussi la Malaisie, la Thaïlande et l'Indonésie où les communautés chinoises sont puissantes) qui est entré en synergie avec le Japon et la Corée, le cône sud latino-américain (Chili, Argentine), les marges frontalières du Nord, notamment le Mexique, la

Tunisie et le Maroc. A l'inverse, apparaissent des « continents perdus » comme l'Afrique et l'Asie centrale et méridionale. J.Y. Carfantan parle de la « dérive des continents ». Ces évolutions ne sont plus des effets secondaires de la croissance du Nord. Contrairement aux récessions précédentes, la récession des armées 1990-1993 intensifie la délocalisation et la mise en place de la « nouvelle division internationale du travail ». Alors que la croissance mondiale est négative, les pays en voie de développement maintiennent un taux moyen de 3,5 % et les pôles de croissance atteignent ou approchent les 10 %. Malgré leur désir de stopper l'hémorragie des emplois, les pays du Nord n'arrivent plus à freiner la délocalisation, encore moins à rapatrier les activités délocalisées.

Engagé en septembre 1986, l'Uruguay Round met l'accent sur l'échange libre des produits et des services. En fait, la négociation est plus sélective. Les Américains ont choisi leur cible : les marchés agricoles. Les Européens ont de grandes difficultés à hisser au même niveau d'attention les services, alors que les pays du tiers monde désespèrent d'introduire dans la négociation les produits qui sont l'objet d'accords anciens de caractère protectionniste (accord multifibre, accords d'autolimitation). Mais dans le même temps se sont engagés ou renforcés de nombreux processus d'intégration régionale : traité de Maastricht et processus d'élargissement en Europe de l'Ouest, ALENA (NAFTA en anglais) en Amérique du Nord, recentrage des investissements japonais en Extrême-Orient, pour ne parler que du Nord.

Le dilemme du début des années quatre-vingt-dix est bien cette opposition entre mondialisation et régionalisation. La conclusion de l'Uruguay Round nous donnera la tendance. Pour l'heure, le commerce international continue à progresser plus vite que la production, libre-échange oblige, mais cette progression concerne davantage les échanges entre pays d'une même région qu'entre pays de régions différentes. Une troisième option, celle de l'éclatement, ne peut être éliminée. Elle s'imposerait si les réflexes protectionnistes et nationalistes des États-nations et si les forces de « désintégration » des « empires » l'emportaient.

3. Scénarios pour le tiers monde

Mais le débat entre mondialisation, régionalisation ou éclatement renvoie à la question plus fondamentale posée par la montée simultanée de l'irresponsabilité des pouvoirs économiques et de l'impuissance des pouvoirs politiques. Les pouvoirs économiques ont pris le large : ils peuvent choisir la localisation de leurs activités en fonction de données strictement économiques (coûts de production, taux d'intérêt, marchés) et n'ont plus à assumer de contre-parties sociales, territoriales ou environnementales. Les États ne peuvent plus ni imposer aux entreprises d'assumer de telles responsabilités, ni développer des politiques de réintégration sociale et territoriale. Des pans entiers de la société et du territoire sont purement et simplement exclus du jeu.

A terme, risque donc de se produire une crise sur le modèle de la crise de 1929, avec, à l'échelle du monde, une production qui s'élargit et un pouvoir d'achat qui se rétrécit. On sait que c'est en réintégrant les exclus et en leur donnant un pouvoir d'achat que la machine a pu reprendre en 1933 ; quelle institution pourra, demain, à l'échelle mondiale, opérer un tel *new deal* ? Ce cavalier solitaire de l'économie n'annonce rien de bon. Intégration économique et intégration politique doivent aller de pair si l'on veut que la croissance économique entraîne le progrès social, l'aménagement du territoire et la qualité de l'environnement.

Pour percevoir les scénarios d'évolution des pays du tiers monde, nous poserons aux trois hypothèses concernant l'évolution de l'économie mondiale (mondialisation, régionalisation et éclatement) la question de l'intégration politique (ou de la souveraineté partagée) :

• *Dans le cas d'un renforcement de la mondialisation économique*, plusieurs avenirs se profilent pour les pays du tiers monde :

— L'intégration politique et l'intégration économique progressent parallèlement, c'est-à-dire que, face au pouvoir économique, se constitue une « gouvernance » de caractère démocratique prenant en compte les intérêts de l'ensemble de la communauté humaine. Les hommes et les femmes du tiers monde pourraient alors espérer devenir des citoyens et des citoyennes à part entière de cette démocratie mondiale. Création d'un État de droit international, liberté de circulation des informations, des produits, des capitaux, mais aussi des idées et des personnes, transfert de richesses des régions et des groupes sociaux favorisés vers les régions et les groupes sociaux pauvres, réintégration des exclus... ; la construction d'une démocratie mondiale constitue une option responsable. Il y a là, pour les défenseurs de la démocratie qui sont nombreux dans les pays du Nord, un combat plus conséquent que le seul transfert vers des pays exsangues d'un modèle institutionnel stéréotypé. Malheureusement, même les germes de cette démocratie mondiale n'existent pas. L'Organisation des Nations unies en est, pour l'heure, très loin et dans sa conception et, surtout, dans sa conduite. On voit mal aujourd'hui comment une telle transformation pourrait s'engager et comment les puissances centrales pourraient accepter d'être gouvernées selon la règle majoritaire. Les négociations économiques sont d'ailleurs systématiquement transférées de l'ONU vers les institutions de Bretton Woods où les votes sont fonction de l'apport en capital, voire même sont directement traités par le Groupe des Sept (G7) qui donne la ligne à suivre en matière de conduite de l'économie mondiale.

— L'intégration politique mondiale est oubliée c'est-à-dire que la mondialisation économique ne peut être régulée par un pouvoir politique agissant à la même échelle mondiale. La carte du monde qui n'est plus géographique mais économique continue alors à se polariser, laissant les hommes et femmes du tiers monde derrière leurs frontières nationales dans des « chaos bornés » (O. Dollfus) en proie, dans le meilleur des cas, aux fondamentalismes et, dans le pire des cas, à une destructuration « somalienne ». Néanmoins, ces frontières renforcées qui créent progressivement un immense ghetto planétaire n'arrêteront ni les informations, ni les virus, ni la drogue, ni la violence faisant courir un risque de « contamination » à un premier monde, même barricadé.

Si l'hypothèse de mondialisation, celle du GATT, devait l'emporter, un processus de négociation, politique cette fois, devrait être imposé par les pays du Sud pour que se crée un

« monde-nation » ou, selon E. Morin, une « terre-patrie »
comme se sont créés des États-nations dans les siècles passés. Dans cette négociation, le tiers monde, sans doute légèrement recomposé, retrouvera alors sa raison d'être dans
cette négociation comme camp et comme force.

• *Dans le cas d'une orientation vers une régionalisation
de l'économie mondiale*, c'est-à-dire si des ensembles économiques régionaux s'affirment avec des échanges intrarégio-
naux libres et interrégionaux organisés, plusieurs avenirs
apparaissent également. A noter que cette orientation, en
rupture avec l'évolution actuelle, n'est envisageable que si
précisément des pouvoirs politiques régionaux reprennent
barre sur la négociation et donc s'il y a bien intégration politique régionale.

— L'intégration des trois régions nordiques s'élargit vers
le Sud permettant la création d'ensembles composites formés
de pays du Nord et de pays du Sud : l'ALENA incorpore le
Mexique et pourrait s'étendre à tout ou partie de l'Amérique latine, le Japon associe par cercle progressif les dragons,
l'ASEAN et la Chine dans une nouvelle sphère de copros-
périté, qui ne dit pour le moment ni son nom, ni sa forme
juridique. L'Europe s'est élargie d'abord à une Europe méridionale pauvre et s'associe à l'est et au sud avec des pays
limitrophes. Il existe peu, à vrai dire pas, de cas de véritable intégration politique Nord-Sud : la Grèce, l'Espagne et
le Portugal, dont le niveau de développement était faible, ont
rejoint l'Europe comme membres de plein droit, les Länders
de l'ex-RDA ont fait de même grâce à l'unification allemande. Une intégration politique exige une solidarité et de
véritables sacrifices, au moins à court terme, des membres
les plus riches. On imagine mal aujourd'hui un élargissement
massif de l'Europe vers le Sud avec intégration politique. Les
régions (Maghreb, pays ACP) sont considérées tout au plus
comme des zones privilégiées de coopération, même si la coopération peut aller assez loin comme, par exemple, dans le
cas de la zone franc entre les pays francophones d'Afrique
noire et la France. Mais faute d'une intégration politique,
le développement de zones privilégiées de coopération risque
de créer des liens de dépendance, voire de colonisation.

Une nouvelle conférence de Berlin attribuant l'Amérique latine et le Moyen-Orient à l'Amérique du Nord, l'Afrique à l'Europe et l'Asie-Pacifique au Japon rappellerait aux peuples du tiers monde quelques souvenirs anciens et pas toujours excellents.

— L'intégration régionale, dès lors qu'elle devient politique, rapprochera plus facilement des pays ayant des niveaux de développement comparables. Dans ce scénario de la régionalisation du monde, les pays du tiers monde sont donc appelés à se regrouper de leur côté dans des ensembles plus homogènes, mais sans doute moins complémentaires. Se dessine alors une économie mondiale constituée d'ensembles régionaux négociant entre eux des accords de coopération ou d'association. Mais ces ensembles régionaux ne pourront acquérir une véritable substance que si les « préférences communautaires » jouent et si l'échange international le permet. Ce scénario repose donc sur la possibilité, pour les pays du Sud, de construire, à des échelles régionales, des pouvoirs réels dans les domaines politique, stratégique, culturel, monétaire, économique et scientifique et de s'éloigner, comme le Nord pourrait être tenté de le faire, du « modèle Bretton Woods » d'ordre économique mondial.

Le tiers monde retrouverait dans ce scénario, son rôle dans la négociation internationale. Face à un Nord qui se segmenterait et se protégerait, le Sud aurait à négocier les conditions d'une nouvelle organisation des espaces dont l'organisation des échanges est le corollaire. Le Sud doit rendre compatible, comme le Nord du monde sait le faire, libre-échange intrarégional et organisation des échanges interrégionaux : les accords de produits, le Fonds de stabilisation, la constitution de pouvoirs monétaires régionaux constituent des enjeux pour la formation d'espaces régionaux mieux protégés et pour la relance de dynamiques de développement interne, pour ne pas dire autocentré. Les pays continents, comme l'Inde et la Chine, eux-mêmes composites, peuvent montrer la voie. Néanmoins, il s'agirait bien d'une nouvelle volte-face pour des pays réajustés qui sont maintenant préparés à affronter un « échange libre et juste » *(free and fair trade).*

• *Dans le cas de l'éclatement de l'économie mondiale*, celui de la remise en cause des règles de commerce mondial ou celui de l'exclusion de certains pays des différentes formes d'intégration mondiale régionale, chaque pays aurait à trouver sa voie dans une nouvelle jungle. Et on sait ce que vaut la loi de la jungle pour les faibles ! Tournant le dos à la règle de la préférence généralisée qui veut qu'un avantage commercial consenti à un partenaire doit être accordé à tous les pays, chacun négociera ses échanges sans cadre général. Les économies d'exportation y laisseront sans doute des plumes au profit d'un recentrage des économies. Pour les pays du Nord, qui échangent près de 25 % de leur production et de leur consommation, parfois beaucoup plus, un tel retournement est difficile à imaginer. Plus probable serait l'apparition d'un éclatement sélectif qui toucherait certains produits ou services. On peut s'attendre notamment à des tentatives de blocage de la délocalisation des emplois agricoles, industriels et tertiaires. Sous couvert du respect des droits sociaux, des droits environnementaux ou de l'instauration d'une concurrence loyale, les pays du tiers monde y perdraient leurs « avantages comparatifs ». Les pays exclus des mécanismes d'intégration économique et privés d'accès à une souveraineté partagée constitueraient alors un « quart monde » planétaire parqué derrière ses frontières. En 1991, on comptait 1,16 milliard de pauvres (moins de 370 dollars par an) et les trois milliards d'êtres humains qui peuplaient les pays les plus pauvres ne disposaient que de 5,4 % du revenu mondial. Dans les discours politiques comme dans les médias, l'aide au développement laisse aujourd'hui la place à l'action humanitaire, la coopération de longue haleine à l'aide d'urgence. La reconnaissance de ce quart monde qui n'est ni développé, ni en voie de développement, mais chaotique, un monde des causes perdues et de l'urgence, introduit dans la communauté humaine une cassure qui déshonore l'Humanité.

Bibliographie

ALBERTINI, Jean-Marie, *Les Mécanismes du sous-développement*, Éd. ouvrières, 1967.

AMIN, Samir, *L'Accumulation à l'échelle mondiale*, Anthropos, 1970. — *Le Développement inégal*, Éd. de Minuit, 1973. — *La Déconnexion*, La Découverte, Paris, 1986.

ARNAUD, Pascal, *La Dette du tiers monde*, La Découverte, Paris, 1991.

ASSIDON, Elsa, *Les Théories économiques du développement*, La Découverte, Paris, 1992.

BAIROCH, Paul, *Le Tiers monde dans l'impasse*, Gallimard, Paris, 1992.

BESSIS, Sophie, *L'Arme alimentaire*, Maspero, Paris, 1981. — *La faim dans le monde*, La Découverte, Paris, 1991.

BOSERUP, Ester, *Évolution agraire et pression démographique*, Flammarion, 1973.

BRANDT, Willy, *Nord-Sud: un programme de survie*, Gallimard, Paris, 1980.

BRAUDEL, Fernand, *Civilisation matérielle, économie et capitalisme, XVᵉ-XVIIIᵉ siècle*, Armand Colin, 1979.

CASTRO de, Josué, *La Géographie de la faim*, Éd. du Seuil, 1964.

CEDETIM, *Le Non-Alignement*, La Découverte, Paris, 1985.

CHALIAND, Gérard, *Les Mythes révolutionnaires du tiers monde*, Éd. du Seuil, 1976. — *Atlas stratégique*, Fayard, 1983.

COMELIAU, Christian, *Les Relations Nord-Sud*, La Découverte, Paris, 1991.

COQUERY-VIDROVITCH, Catherine, *Afrique noire, permanence et rupture*, Payot, 1985.

DUMONT, René, *La Croissance de la famine*, Éd. du Seuil, 1975. — *Le Mal-Développement en Amérique latine*, Éd. du Seuil, 1981. — *Pour l'Afrique, j'accuse*, Plon, 1986. — *La Faim dans le monde*, La Découverte, Paris, 1991.

ECKHOLM, Erik, *La Terre sans arbres*, Éd. Robert Laffont, 1977.

ELLUL, Jacques, *Changer de révolution*, Éd. du Seuil, 1982.

FANON, Frantz, *Les Damnés de la terre*, Maspero, Paris, 1969.

FAUCHEUX, G., NOËL, J.-F., *Les Menaces globales sur l'environnement*, La Découverte, « Repères », 1990.

GALEANO, Eduardo, *Les Veines ouvertes de l'Amérique latine*, Plon, 1981.

GEORGE, Susan, *Jusqu'au cou, enquête sur la dette du tiers monde*, La Découverte, Paris, 1988.

GIRAUD, Pierre-Noël, *L'Économie mondiale des matières premières*, La Découverte, « Repères », 1989.

GIRI, Jacques, *L'Afrique en panne*, Karthala, 1986.

GOUROU, Pierre, *Terre de bonne espérance, le monde tropical*, Plon, 1982. — *Riz et civilisation*, Fayard, 1984.

GUILLAUMONT, Patrick, *Économie du développement*, PUF, Paris, 1985.

GUNDER FRANK, André, *Le Développement du sous-développement*, Maspero, Paris, 1970.

ILLICH, Ivan, *Le Travail fantôme*, Éd. du Seuil, 1981. — *Le Genre vernaculaire*, Éd. du Seuil, 1983.

JACQUEMOT, P., RAFFINOT, M., *Accumulation et développement*, L'Harmattan, 1985.

JALÉE, Pierre, *Le Pillage du tiers monde*, Maspero, Paris, 1965.

LACOSTE, Yves, *Géographie du sous-développement*, PUF, 1965. — *Unité et diversité du tiers monde*, La Découverte, Paris, 1981.

LATOUCHE, Serge, *Faut-il refuser le développement ?*, PUF, 1986. — *L'Occidentalisation du monde*, La Découverte, Paris, 1989.

LIPIETZ, Alain, *Mirages et miracles*, La Découverte, 1985. — *Vert espérance, l'avenir de l'écologie politique*, La Découverte, Paris, 1993.

MAQUET, Jacques, *Les Civilisations noires*, Éd. Marabout, 1966.

MARTIN, Jean-Marie, *L'Économie mondiale de l'énergie*, La Découverte, « Repères », 1990.

MASSIAH, Gustave, TRIBILLON, Jean-François, *Villes en développement*, La Découverte, Paris, 1988.

MEADOWS, D.L., *Les Limites de la croissance*, Fayard, 1972.

OCDE, *Financement et dette extérieure des pays en développement*, 1985.

PARTANT, François, *La Fin du développement*, Maspero, Paris, 1982. — *La Ligne d'horizon, essai sur l'après-développement*, La Découverte, Paris, 1988.

PERROUX, François, *Pour une philosophie du nouveau développement*, Aubier, 1981.

PLANHOL de, Xavier, *Les Fondements géographiques de l'histoire de l'islam*, Flammarion, 1968.

ROSTOW, W.W., *Les Étapes de la croissance économique, un manifeste communiste*, Éd. du Seuil, 1963.

ROUILLÉ D'ORFEUIL, Henri, *Coopérer autrement, l'engagement des organisations non gouvernementales aujourd'hui*, L'Harmattan, 1984.

SACHS, Ignacy, *Initiation à l'écodéveloppement*, Privat, 1981.

SAUVY, Alfred, *Malthus et les deux Marx*, Denoël, 1963.

SCHUMACHER, E.F., *Small is beautiful*, Éd. du Seuil, 1979.

SMOUTS, Marie-Claude, ADDA, Jacques, *La France face au Sud. Le Miroir brisé*, Kharthala, Paris, 1989.

TOURAINE, Alain, *La parole et le sang : politique et société en Amérique latine*, Éd. O. Jacob, 1988.

VERNIÈRES, Michel, *Économie du tiers monde*, Economica, Paris, 1991.

Table

Dans la collection "Repères"

La collection Repères est animée par Jean-Paul Piriou, avec la collaboration de Bernard Colasse, Françoise Dreyfus, Hervé Hamon, Dominique Merllié et Christophe Prochasson.

Composition Facompo, Lisieux (Calvados)
Achevé d'imprimer en septembre 1993
sur les presses de l'imprimerie Carlo Descamps,
Condé-sur-l'Escaut (Nord)
Dépôt légal : septembre 1993
Numéro d'imprimeur : 8132
Quatrième tirage
ISBN 2-7071-1671-8